En marche vers Dieu

Jean-Christian Dhavernas
Étienne Michelin
Christine Verny

En marche vers Dieu

avec le Père Marie-Eugène

SALVATOR
103, rue Notre-Dame des Champs
F-75006 Paris

Maquette de couverture : Isabelle de Senilhes
© Illustration de couverture : Association l'Olivier
Conception maquette intérieure : Odile Boeglin
Maquette intérieure : Atlant'Communication

© **Éditions Salvator**, Paris, 2008
103, rue Notre-Dame-des-Champs F-75006 Paris
www.editions-salvator.com
salvator.editions@wanadoo.fr

Pour l'ensemble, © Association l'Olivier, F-84210 Venasque

Les inédits rassemblés dans ce volume proviennent de l'enseignement oral du père Marie-Eugène, (homélies,
conférences, retraites, etc.) donné entre 1932 et 1967. Ils ont
été rassemblés et mis en forme pour cette publication.
Quelques citations proviennent de l'ouvrage *Je veux voir
Dieu*.

ISBN : 978-2-7067-0586-1

En marche…vers Dieu

Ce petit livre est un espace pour la rencontre. Rencontre avec vous-même, rencontre avec Celui qui est présent au plus profond de nous et que l'on appelle Dieu. Rencontre aussi avec un homme qui peut vous accompagner sur votre route, faite de joie, d'inquiétudes, de souffrances. Cet homme s'appelle Henri Grialou. Il est né en 1894 ; il est mort en 1967. C'est un Aveyronnais qui avait tout pour être inconnu. En fait, il est connu dans de nombreuses régions du monde sous le nom de père Marie-Eugène de l'Enfant-Jésus. Devenu prêtre en Aveyron, il a choisi de répondre à un appel intérieur très fort, celui de devenir religieux, avec un habit, dans l'Ordre du Carmel où il a pris ce nom. L'Ordre du Carmel a pour inspirateur Élie, un prophète de la Bible (voir le premier livre des Rois, chapitres 17 et suivants). Sa devise est : « *Il est vivant Dieu devant qui je me tiens. Je suis rempli de zèle pour Lui.* »

Ce petit livre est un recueil de phrases courtes et de quelques témoignages, extraits d'une immense documentation qui s'étend de 1908 à 1967. Nous n'en avons pas mis les références car la plupart sont inédits. Ces textes ont été organisés et mis en forme pour les rendre facilement accessibles. Ils ont été groupés autour de 18 thèmes. Parmi ces thèmes, certains sont sensibles, comme la souffrance, la liberté, la confiance. D'autres abordent des aspects de la foi chrétienne. Tous sont importants dans l'expérience et l'enseignement du père Marie-Eugène. Tous nous rejoignent.

Chaque chapitre est bâti sur le même plan : après une courte introduction, les pensées, séparées par un paragraphe, sont organisées autour de quelques titres.

Le chapitre se poursuit avec trois rubriques : **Pour prier**, *pour échanger,* et enfin *pour aller plus loin* (références à la Bible, au Catéchisme de l'Église catholique, à des ouvrages du père Marie-Eugène).

Conduire les gens à Dieu

Parce qu'il est un homme de Dieu en notre temps, Henri Grialou a une actualité étonnante. Si bien que les courtes phrases que nous vous proposons pourront venir, discrètement, s'installer à la table de vos réflexions et vous apporteront certainement quelque chose du sourire apaisé et optimiste de cet homme qui a reconnu un jour : « *Je suis fait pour conduire [les gens] à Dieu.* » Parole audacieuse, fruit d'une expérience, et prononcée avec une profonde humilité. Parole aussi vérifiée par l'histoire.

Depuis plus de 40 ans, on constate que le père Marie-Eugène continue à guider sur les chemins de la vie humaine. Une prière adressée à Dieu par son intercession est souvent exaucée. L'Église catholique s'interroge : la vie d'Henri Grialou ne serait-elle pas celle d'un saint ? L'enquête commencée en 1985 est maintenant achevée. On attend la décision des experts chargés d'en étudier les résultats. De nombreux témoignages ne cessent de parvenir à *La cause de béatification* (84210 Venasque).

Dans les pages suivantes, vous pourrez découvrir une brève évocation de la vie du père Marie-Eugène, replacée dans son contexte.

Premier pas

Henri Grialou. Un Aveyronnais inconnu, et qui avait tout pour le rester. Il naît en décembre 1894, dans le bassin minier de Cransac (Aveyron, France). 1894, c'est l'année du lancement de la marque Coca-Cola. Lénine a 24 ans. Hitler a 11 mois, Mao Tsé-toung a 5 ans, Charles de Gaulle en a quatre. 1895 : premier film des frères Lumière et découverte des rayons X. 1898 : Émile Zola écrit son article *J'accuse,* à propos de l'affaire Dreyfus. 1904 : découverte de l'électron ; en France, une loi interdit l'enseignement à toutes les congrégations religieuses. 1905 : en France, loi de séparation de l'Église et de l'État.

Cette année-là, alors qu'il n'a pas encore onze ans, Henri laisse son frère, ses trois sœurs et sa maman, veuve depuis un an et qui s'use au travail. Il quitte seul l'Aveyron pour l'Italie, afin de bénéficier d'études gratuites : il veut devenir prêtre.

Deux ans plus tard, Henri est à Langogne (Lozère). Puis il entre à Graves, dans l'un des trois petits séminaires que compte alors son diocèse. Il le quitte en 1911 au sortir de la classe de première, pour entrer au Grand Séminaire de Rodez, avec cette appréciation du directeur : *Un garçon complet comme Henri, je n'en ai pas trouvé dans ma carrière.* Deux ans plus tard, baccalauréat en poche, il devance l'appel sous les drapeaux (le service militaire dure alors 3 ans), pour pouvoir mener plus facilement, sur place, sa vie de séminariste-soldat.

La guerre

De 1913 (il n'a pas 19 ans) jusqu'à août 1919, il portera l'uniforme.

Au front dès le 5 août 1914 – blessé le 18 –, il participe à la Première Guerre mondiale – *dure, sauvage* – jusqu'au 30 août 1919. Blessé, promu lieutenant, décoré, il fait une expérience forte de la proximité humaine et de la communion des saints. *« On se retrouve homme et surtout chrétien. »* Thérèse de l'Enfant Jésus le protège, lui et ses hommes. Il la découvre dès 1908 et sera un des tout premiers à voir en elle un docteur expert en rencontre avec Dieu.

L'épreuve de la guerre affermit en lui la conviction de toute son existence : *« Dieu, le fondement de tout, [est] le seul Être pour qui l'on puisse décemment sacrifier sa vie, [...] le seul qui nous donne des forces suffisantes. »*

Quand, sollicité pour des carrières importantes, il rechoisit de devenir prêtre, la Russie est devenue bolchévique, le goulag est en marche, le communisme est conquérant.

Prêtre carme

Ordonné prêtre en février 1922, il quitte l'Aveyron et entre au Carmel pour répondre à un appel intérieur très puissant, confirmé par l'évêque de Rodez. Il restera deux ans à Avon près de Fontainebleau.

À peine sorti du temps de formation, – un temps de renaissance au rythme de deux heures quotidiennes de prière silencieuse (auquel il sera ensuite toujours fidèle), d'une vie de détachement et d'obéissance –, il commence une mission de rédacteur de revue, de prédication, d'accompagnement spirituel. Repéré comme excellent connaisseur des saints du Carmel, Thérèse d'Avila, Jean de la Croix, Thérèse de l'Enfant-Jésus, il est appelé partout en France pour les faire connaître, particulièrement Thérèse de l'Enfant-Jésus. Le père Marie-Eugène en est certain : c'est la Miséricorde et elle seule qui permet à l'homme de sauver son humanité. À la fin de sa vie il confie : « *j'ai compris la miséricorde ; sainte Thérèse [de Lisieux] en a senti la douceur, j'en sens la puissance* ». Il voit la miséricorde à l'œuvre dans les gens rencontrés, de tous milieux. Son rayonnement, depuis Lille où il habite, s'étend. En même temps il partage la préoccupation de l'Église : des multitudes de gens qui ne sont plus rejoints par l'Évangile vivent une véritable disette intérieure. Comment les rencontrer ? Comment les aider à renouer le contact avec Jésus ? De nombreuses initiatives voient le jour. Elles seront reconnues en 1947 par le pape Pie XII comme un nouveau type de vie consacrée à Dieu pour le témoignage dans le monde. Ce seront les instituts séculiers de vie consacrée.

Rencontre décisive

En 1928 le père est nommé à Tarascon pour s'occuper d'un tout petit collège de garçons. En 1929, la crise économique – et donc humaine – fait des ravages. Le père Marie-Eugène, dont le sens pratique est très développé, autant que son sens de Dieu, prie, travaille, organise, prêche, accueille, écrit. Cette année-là trois jeunes femmes de Marseille, dont Marie Pila (1896-1974), viennent lui demander conseil pour leur existence : elles expérimentent le vide intérieur des temps difficiles et portent en elles le double désir de vivre pour Dieu et près des gens, dans la vie professionnelle ordinaire. La préoccupation du père Marie-Eugène rencontre l'attente de ces femmes. Cette rencontre est fondatrice. Pour rendre possible cet idéal, il faut une solide formation, dans la solitude. En 1930, le père Marie-Eugène reçoit l'offre d'occuper un antique sanctuaire marial, à Venasque, village situé dans le département du Vaucluse. Ce lieu s'appelle *Notre-Dame de Vie*. Le visitant pour la première fois en 1931, le père se sent attendu, accueilli. *Notre-Dame de Vie* deviendra le nom du futur institut séculier. À l'époque c'est une maison isolée dans laquelle les membres viendront apprendre à prier, à « *s'accrocher à Dieu par la foi* », à découvrir l'Esprit Saint, pour pouvoir vivre ensuite, dans toutes les conditions, 24 heures sur 24, en sa présence.

Au service du Carmel

Les nominations se succèdent pour le père Marie-Eugène. En 1936 il est à Monte-Carlo, prieur du couvent des carmes. La guerre d'Espagne (juillet 1936- mars 1939) le conduit, en plus de ses fonctions de prieur, de professeur, de prédicateur, à participer à l'accueil des religieuses carmélites réfugiées en France. Durant le Front populaire (juin-août 1936) il encourage sa jeune sœur Berthe, qui travaille à Paris dans une compagnie d'assurances, à prendre toute sa part de chrétienne dans la vie sociale difficile. Tout l'intéresse, dans la dynamique de sa mission : conduire à Dieu.

En 1937 il est nommé à Rome pour travailler au service de l'Ordre du Carmel partout dans le monde. Il y acquiert une expérience internationale.

Dès 1936 les bruits de bottes envahissent l'Europe. Une nouvelle guerre civile européenne, puis mondiale, éclate en 1939. Le père Marie-Eugène est rappelé sous les drapeaux. Démobilisé début 1940, il reste en France jusqu'en 1946, la parcourant en tous sens avec la mission de soutenir des monastères du Carmel. Il reprend ensuite son service à Rome jusqu'en avril 1955. Dès 1947 il se préoccupe de favoriser les rencontres entre les jeunesses allemande et française. En 1949, la révolution maoïste saisit la grande Chine. Le père Marie-Eugène aura à prendre soin autant que possible des religieuses carmélites persécutées puis exilées.

Dans le même temps *Notre-Dame de Vie* prend son essor rapidement. Le père accompagne ce développement, tenant ferme l'intuition première d'unir simplement une prière intense à une activité professionnelle vraiment engagée, dans la docilité à l'action de l'Esprit Saint. Il aime beaucoup cette phrase de saint Paul, qui s'applique à tous les baptisés : « *Ceux qui sont mus par l'Esprit de Dieu sont véritablement enfants de Dieu* » (*Lettre aux Romains*, chapitre 8, verset 14).

Durant cette période il trouve aussi le moyen de publier un livre important en deux tomes, *Je veux voir Dieu* (1949) et *Je suis fille de l'Église* (1951), réunis en un seul volume dès 1956. Ce livre décrit les chemins de la rencontre avec Dieu. Avec une profonde connaissance de Dieu et de la psychologie humaine, tenant compte des recherches récentes, l'auteur décrit les expériences, les difficultés, les angoisses et les joies de cette croissance vers l'amour plein et efficace qui fait ressembler à Jésus et témoigner de Lui.

De 1955 à 1967 il continue à travailler, et à voyager. Il est très attentif au bouillonnement des idées de l'époque, et ressent fortement les enjeux pour l'Église et le monde. Dès 1954 l'Institut séculier *Notre-Dame de Vie* est appelé aux Philippines. Tandis que le groupement féminin poursuit son extension, avec notamment l'arrivée de membres de diverses nationalités, de jeunes hommes laïcs et des prêtres ont entendu le même appel. L'Institut *Notre-Dame de Vie* deviendra un seul Institut à trois branches autonomes (1973), auquel se joindra un groupement de foyers, actuellement en pleine expansion.

Jusqu'au bout...

Fin 1962 : le père Marie-Eugène vient résider en permanence à Venasque, tout en assumant des charges de gouvernement pour le Carmel. Malgré une santé plus fragile, il voyage : Allemagne, Philippines, Canada, Mexique. Ce qui le fait courir ? Parler de Dieu, vivant, miséricorde, qui veut se communiquer à tous, et de la possibilité qui nous est donnée de prendre contact avec Lui par la foi. Durant ces années il suit de près les événements internationaux et le déroulement du concile Vatican II (1962-1965) qu'il accueille et met en œuvre intégralement.

En février 1965, atteint d'une grave pneumonie, il pense mourir. Depuis, toujours discret sur lui-même, il sent alors le devoir de faire partager sa vie profonde. Assis sur son lit, cherchant sa respiration, il parle. Un micro enregistre : « *Toute ma vie a été [...] basée sur cela : sur la connaissance, la découverte de l'Esprit Saint.* » (Voir dans ce livre le chapitre sur *L'Esprit Saint, un ami*).

Il se remet et poursuit ses diverses tâches. Fin 1966, le cancer s'est généralisé. À Noël, il est épuisé. De janvier à mars 1967, examens et traitements sont tentés pour arrêter le mal. Mais le père Marie-Eugène, tout en assumant ses responsabilités jusqu'au bout, a compris. Il apprend encore, lui l'homme solide, fonceur, autoritaire, en même temps que délicat, patient et très humble, à *pratiquer l'héroïsme en demandant qu'on [lui] fasse manger une biscotte*. Des phrases jaillissent. « *Il m'a tout donné le bon Dieu. Les profondeurs de Dieu c'est l'Amour. La sainteté, c'est la force de Dieu, la faiblesse de l'homme. Tout se réalisera, et plus, pourvu que l'on espère. Je m'en vais vers l'étreinte de l'Esprit Saint. »*

Il meurt le 27 mars 1967, lundi de Pâques. Depuis 10 ans il avait fait de ce jour une fête de la joie pour Marie, Notre-Dame de Vie, dans la gloire de Jésus ressuscité.

Un jour il a écrit, dans *Je veux voir Dieu* : « *Plus les saints sont pris par l'Amour, plus ils sont proches de nous.* »

Notre espérance est que ce petit livre, en facilitant une rencontre avec cet homme heureux et paisible, dynamique et patient, vous aide à rencontrer le Dieu vivant, source de paix et de joie véritables.

1.

Présent à Dieu présent au monde

Prier ou agir ? Trouver Dieu dans l'action ou abandonner le monde pour mieux rencontrer Dieu ? Ces tensions traversent nos existences. L'expérience du père Marie-Eugène offre un éclairage simple et pratique pour unifier nos vies et rejoindre le Dieu vivant qui nous appelle et qui nous envoie.

Une opposition ?

Autrefois on parlait de l'action comme découlant de la contemplation : c'était le trop-plein, et quand c'était trop plein, ça coulait, c'était l'action... La contemplation, ce n'est pas une cuve, une belle plénitude que l'on admire, sur laquelle Dieu se penche, ainsi que les anges et les hommes... La contemplation, c'est un torrent !

Nous avons à lutter contre la théorie qui nous a fait diviser action et contemplation, et les a fait tellement distinguer qu'elle les a rendues presque inconciliables.

Eh non ! Elles jaillissent l'une de l'autre : l'action jaillit de la contemplation ; l'efficacité et la valeur de l'action jaillissent de la puissance de la contemplation.

L'amour est mouvement, l'amour est vie. Un amour stagnant, si limpide qu'il paraisse, diminue : il faut qu'il agisse.

Comme Dieu

Dieu est contemplatif… Il est aussi acte pur. C'est une imitation parfaite de Dieu que nous essayons de réaliser en unissant action et contemplation. Ce ne sont pas seulement deux concepts humains que nous essayons de réaliser, c'est la vie de Dieu : c'est la vie contemplative de Dieu, et la vie, nous dirions active de Dieu, que nous voulons réaliser.

Notre perfection est en Dieu, mes enfants !

C'est la même vie, c'est la même marche, c'est le même amour, qui fait l'action et la contemplation.

L'exemple de Jésus

Notre-Seigneur a prié : il a prié le jour, il a prié la nuit. Toutes les raisons que nous pouvons avoir de ne pas mettre de prière dans notre vie parce que nous avons du travail, de nombreuses activités, ne tiennent pas devant son exemple.

L'amour a fait descendre le Verbe pour s'incarner au milieu de nous. Jésus va vers son peuple, vers la pauvreté et la misère du pécheur. Ce fut sa vie d'amour.

Notre grâce nous identifie au Christ et nous devons suivre tous les mouvements de l'Esprit d'amour en Lui.

> « Vous manquez de temps pour en faire plus ?
> Je vais vous donner un conseil
> qui me réussit bien :
> donnez plus de temps à la prière. »
> Le père Marie Eugène à un journaliste

À la suite des saints

La vie que répand l'Esprit Saint est amour. Cet amour est toujours en marche. Ceux qu'il a envahis sont entraînés dans son mouvement. Telle est l'Église.

Plus les saints sont pris par l'amour, plus ils sont près de nous.

Dans la vie du prophète Élie, équilibre et synthèse sont réalisés par Dieu qui l'a saisi et le meut. Il se livre et c'est toute son occupation à lui. À Dieu de disposer de lui pour le retenir dans la solitude ou pour l'envoyer de-ci de-là.

Un apôtre qui veut être uniquement actif ne sera pas un saint. Un contemplatif qui ne veut pas traduire son amour d'une façon pratique cultivera son égoïsme spirituel. C'est une synthèse à réaliser. On ne peut être saint si on choisit l'un ou l'autre.

Un seul amour pour Dieu et le prochain

Il n'y a qu'un seul amour, c'est ainsi que s'unifient les préceptes : « Tu aimeras le Seigneur ton Dieu de toute ton âme, de tout ton esprit, de toutes tes forces et le prochain comme toi-même pour l'amour de Dieu. »

Ce double mouvement de la charité anime l'Église.

L'âme n'est jamais plus active et plus puissante que lorsque Dieu la maintient dans la solitude de la contemplation ; elle n'est jamais plus unie à Dieu et plus contemplative que lorsqu'elle est engagée dans les travaux pour faire la volonté de Dieu et sous l'emprise de l'Esprit Saint.

> « Gardez la fidélité à l'essentiel :
> action et contemplation bien unies. »
> Le père Marie-Eugène, le jour de sa mort

Pratiquement

Le contact avec Dieu n'isole pas du monde, n'isole pas de notre tâche.

Il s'agit d'unir contemplation et action, non pas de savoir garder son recueillement, ce n'est pas cela, mais de faire entrer la prière dans sa vie.

Nous devons tendre à ce regard qui trouve Dieu partout, à ce regard attentif, éveillé, qui ne veut que Dieu. Et cela sans perdre notre gaieté, notre spontanéité, au contraire.

Le problème de l'union de la contemplation et de l'action est complexe. C'est aussi un problème individuel, parce que l'action, chacun la mène à sa façon, avec son tempérament et suivant la vocation qu'il a. On ne peut l'aborder d'une façon efficace que sur le plan pratique.

Une formation

Comment attirer le souffle de l'Esprit et comment, ensuite, se livrer et coopérer à son action envahissante ?

Jésus lui-même s'est chargé de former ses Apôtres. Pendant trois ans, Jésus a gardé auprès de lui ceux qu'il a choisis.

Notre vie, c'est cela : regarder Dieu par la foi vive et mettre nos actes à la disposition de l'Esprit Saint.

Tout prêtre, avant ou après avoir reçu son sacerdoce, a besoin de faire une période de solitude pour réaliser la présence vivante et agissante de l'Esprit Saint dans l'Église et dans son âme et pour apprendre à accorder, dans la docilité, son action à celle de l'Esprit Saint. Il doit ensuite prendre toutes dispositions pour parfaire cette docilité.

Jésus s'offre :
« *Me voici, mon Dieu,*
je viens pour faire ta volonté » (Hb, 10, 7).
Il le redit silencieusement avec tout son être.

Il sent le besoin de le redire longuement ;
de faire cette offrande,
ce don de lui-même encore une fois,
cette prière,
parce que c'est l'acte important de sa vie.

Voilà toute la vie de Notre Seigneur :
une vie intérieure profonde d'offrande
et de prière.

Ô Jésus, faites-nous comprendre
comment vous avez agi,
comment vous avez prié,
comment vous avez souffert ;

Faites-nous comprendre
l'importance du témoignage et de la prière.

Pour échanger

- ◆ « Faire entrer la prière dans sa vie » : quel sens cela a-t-il pour nous ?
- ◆ Avons-nous déjà eu à choisir entre prier et agir ?
- ◆ « Le contact avec Dieu n'isole pas du monde » : avons-nous déjà expérimenté que la rencontre avec Dieu nous rend plus proches des autres ?

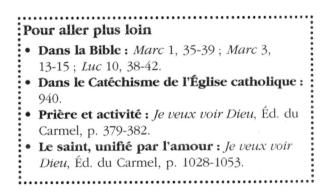

Pour aller plus loin

- **Dans la Bible :** *Marc* 1, 35-39 ; *Marc* 3, 13-15 ; *Luc* 10, 38-42.
- **Dans le Catéchisme de l'Église catholique :** 940.
- **Prière et activité :** *Je veux voir Dieu*, Éd. du Carmel, p. 379-382.
- **Le saint, unifié par l'amour :** *Je veux voir Dieu*, Éd. du Carmel, p. 1028-1053.

2.

L'amour peut toujours grandir

« Apprenons auprès de la Sainte Vierge à croire dans la nuit, à espérer contre toutes les réalités décevantes, à aimer toujours. »

« Marchez ! », dit aujourd'hui encore le père Marie-Eugène à ceux qui seraient tentés de se décourager. Il nous invite à fonder notre optimisme en Dieu : son amour est toujours à l'œuvre, il n'est jamais vaincu.

Dieu est liberté, joie et équilibre

La grâce a fait de bien des saints des types d'humanité remarquables, parmi les plus puissants et les plus rayonnants en même temps que les plus caractéristiques de leur temps.

Dieu certes est exigeant, mais il est liberté, joie et équilibre. Le chemin qui conduit vers Lui est étroit, mais pour y marcher avec rapidité il ne faut pas être encapuchonné, ni dans la crainte ni dans la dévotion.

Le règne de Dieu s'étend. Il y a une paix de fond qui se fait peu à peu sous l'influence progressive de Dieu.

Seul l'amour de Dieu est éternel

Comme le monde changerait d'aspect si nous croyions à la vie de Dieu ! Nous ne voyons que les passions, le bruit que fait l'humain et nous ne voyons pas la grâce.

Il n'y a d'éternel que l'amour de Dieu, que la pensée de Dieu.

Nous sommes des pèlerins

Nous n'avons qu'une destinée : ce n'est pas seulement d'être un homme parfait, un homme intelligent, mais d'être un enfant de Dieu. Notre destinée nous conduit dans le sein de Dieu.

C'est la vocation, la destinée de tout chrétien : nous ne saurions la mettre ailleurs. Mettre sa destinée sur un plan inférieur, c'est déjà fausser le point d'arrivée.

Nous sommes en pèlerinage, nous faisons partie de ce peuple de Dieu qui revient vers Dieu à travers le désert, à travers les épreuves.

Notre patrie véritable, notre but, c'est le ciel, c'est la Trinité Sainte.

Dieu est le but : que vous soyez actifs ou contemplatifs, dites-vous que c'est là l'essentiel.

Nous avons tous des saintetés différentes

Les diversités du monde spirituel sont plus grandes encore que celles du monde matériel. L'arbrisseau, la salade, le baobab, chacune de ces plantes pousse à sa taille et chacune atteint sa perfection.

Sur le plan spirituel, c'est un peu la même chose. Nous sommes destinés à avoir des tailles différentes, des mesures différentes de grâce selon le choix de Dieu, selon le témoignage qu'il attend de nous et la place qu'il nous fait occuper.

Il n'y a pas de standardisation dans le Royaume de Dieu. Dieu ne connaît pas le robot qui marche : une fois qu'on en a fait un, on peut en faire des milliers et des millions ; on pourrait faire une humanité de robots. Ici non, nous sommes tous différents : le bon Dieu a son dessein pour chacun de nous.

La sainteté peut être parfois voilée de tant de simplicité qu'elle n'apparaît pas. Elle peut l'être aussi par un défaut habituel qui n'a rien de volontaire et dont l'âme souffre la première en faisant aussi souffrir les autres.

Qu'importe que je fasse la vaisselle, les escaliers ou de la philosophie ? Une seule chose compte : la charité.

Rien n'arrête l'amour

Le Dieu que nous regardons est un Dieu vivant, un Dieu qui marche. Le monde dans lequel nous travaillons est un monde en marche. Il y a par conséquent deux exigences, deux nécessités de marcher :

– s'adapter au mouvement de Dieu, à la pensée de Dieu qui se développe et s'épanouit sans cesse ;

– s'adapter sans cesse au mouvement du monde qui est toujours en marche.

Songez aux feuilles qui semblent mortes un soir d'orage, dans la nature en deuil, et le lendemain on sent une vitalité nouvelle.

Il en est de même dans les nuits qui passent sur l'âme. Il en est de même pour l'Église : elle connaît les vicissitudes... Et il fait jour... et il fait nuit. Elle connaît des tempêtes, elle se trouve en face de persécutions, d'hérésies, elle semble anéantie et cependant elle est vivante, elle se développe.

Que va-t-Il demander ?

Le bon Dieu est bon, il est très bon. Il est intelligent, c'est entendu, mais il est aussi exigeant et il va demander... « Il m'ennuie ! il a demandé des choses déjà... il demande cela maintenant ! ce que je lui ai donné, ça suffit !... » Quand on a mis le bout des doigts, tout y passe ; il y a un absolu qui vous conquiert progressivement et on ne sait pas où cela s'arrêtera.

La loi de la croix mal comprise fait rechercher la souffrance et la pauvreté comme un but. Non, il faut l'accepter comme la condition du triomphe de la grâce : ce n'est pas le but. Ce n'est pas d'être pauvre qui fait le saint. Ce n'est pas la souffrance qui fait le saint. On l'est quand on est plein de Dieu.

À mesure que nous avançons dans la vie spirituelle, nous découvrons ce don de Dieu qui nous soutient, nous nous apercevons que Dieu fait tout.

Pour prier

Que sont les bouleversements,
les menaces, les puissances matérielles,
que sont même les puissances de l'intelligence
devant la pensée amoureuse de Dieu
qui nous a créés
pour que nous retournions à lui ?

Oui, voilà notre richesse, voilà notre espérance :
la pensée de Dieu, l'amour de Dieu,
pas seulement un amour pour l'humanité,
mais l'amour de Dieu pour chacun de nous.

Demandons à Dieu de croire en son Amour
d'une façon concrète, vivante, réelle.

Demandons-lui
que son amour ait une influence sur notre vie,
sur nos gestes, sur notre attitude.

Pour échanger

- Quelle image avons-nous de la sainteté ?
- Est-il facile de croire que nous y sommes tous appelés ?
- Dans les citations du père Marie-Eugène, laquelle nous étonne ? Laquelle nous encourage le plus ?
- Dieu est liberté, joie. Comment pouvons-nous témoigner de la joie d'être chrétien ?

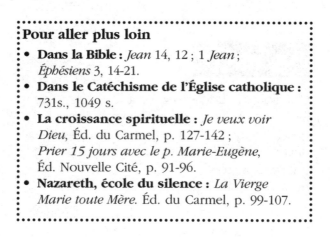

Pour aller plus loin

- **Dans la Bible :** *Jean* 14, 12 ; 1 *Jean* ; *Éphésiens* 3, 14-21.
- **Dans le Catéchisme de l'Église catholique :** 731s., 1049 s.
- **La croissance spirituelle :** *Je veux voir Dieu*, Éd. du Carmel, p. 127-142 ; *Prier 15 jours avec le p. Marie-Eugène*, Éd. Nouvelle Cité, p. 91-96.
- **Nazareth, école du silence :** *La Vierge Marie toute Mère*. Éd. du Carmel, p. 99-107.

3.

De l'agitation au silence

En découvrant le Carmel, le père Marie-Eugène a expérimenté l'importance du silence pour la vie spirituelle et l'unité de la personne. Dans un quotidien saturé de sollicitations et de bruit, tout disciple du Christ a besoin du silence où Dieu se laisse trouver et se donne.

Nous avons besoin de silence

Aujourd'hui, on ne peut guère faire de silence dans la vie quotidienne. Pourtant, plus notre vie est agitée, plus notre besoin de silence augmente.

Dieu vit dans le silence et l'on sent bien que pour le trouver, il faut du silence, il faut arracher ses facultés au bruit et les jeter en Dieu.

C'est dans le silence que Dieu attire les âmes qu'il veut toutes à lui. Tous ses prophètes et ses saints sont formés par lui au désert, dans le silence.

Dans le silence, Dieu se révèle

Dieu aime le silence et la discrétion. L'Esprit Saint agit silencieusement dans les âmes et dans l'Église, au milieu des agitations du monde.

Dieu parle dans le silence et seul le silence paraît pouvoir exprimer Dieu.

Jésus est la Parole de Dieu que nous devons entendre dans le silence.

Quelqu'un qui a trouvé Dieu a besoin de silence, c'est normal. Quand Dieu met son emprise sur une âme, il la met d'abord dans le silence.

L'humilité et le silence permettent de pénétrer dans les profondeurs de Dieu.

Nazareth

Jésus, Dieu parmi nous, s'est enfermé à Nazareth, il s'est mis dans le silence.

Nazareth, c'est la vie ordinaire avec ses petits incidents, sa monotonie, presque rien. Voilà ce qu'a vécu Notre-Seigneur. Jésus, le Maître, est un homme ordinaire. Sous cette vie ordinaire se cache la vie intense de Dieu.

La retraite pendant près de trente ans à Nazareth, le séjour au désert pendant quarante jours avant la vie publique, comme pour accumuler des réserves de silence, les retours fréquents à la solitude dans le calme de la nuit... Qui oserait blâmer la prière silencieuse ? Notre-Seigneur l'a faite pendant de si longues années.

Dieu vivant, Dieu caché

Le silence, la nuit, le brouillard, la tempête ne prouvent nullement l'absence de l'Esprit Saint.

Ne pas se laisser impressionner par le bruit de surface et se porter vers Dieu au fond de l'âme : il est là.

« Il est vivant le Seigneur en présence de qui je me tiens. » Notre prière, c'est cela. Nous restons en présence du Dieu vivant. Ce Dieu silencieux qui est là est un Dieu vivant.

Jésus est mystérieux. Quand nous l'abordons, habituellement il reste silencieux. Dans ce silence, quelles sont ses dispositions à notre égard ? Il nous le dit dans la parabole du bon Pasteur : Il nous voit avec son amour, il nous connaît, et bien qu'il reste silencieux, il sait parfaitement ce que nous sommes, ce que nous pensons, ce que nous aimons, ce que nous faisons. Cette connaissance du Christ doit être notre consolation.

« Le Père Marie-Eugène :
un père carme tout enveloppé de silence. »
Témoignage d'un Dominicain

Une présence maternelle

À l'Annonciation, la Vierge était dans la
solitude de Nazareth et plus tard, elle y
revint, loin du bruit. C'est une leçon pour
nous : nous devons chercher la solitude et le
silence pour prier.

La Sainte Vierge est allée vers la solitude
parce que là était l'amour, et de là elle est allée
vers l'action quand l'Esprit l'y poussait.

Ombre silencieuse dans la nuit, Marie
répand la douceur sans supprimer la souffrance, crée une douce pénombre sans dissiper
l'obscurité.

Le Père Marie-Eugène enseignait par sa prière. Son corps était au milieu de nous, son âme était en conversation avec Dieu, dans un silence qui le protégeait, dans lequel un échange d'amitié intense était engagé entre son âme et Dieu dont il se savait aimé.

L'avoir vu prier ainsi révèle ce qu'est la prière plus que de beaux discours.

Père Louis Guillet, Carme

J'ai découvert le père Marie-Eugène à travers *Je veux voir Dieu*. J'avais 22 ans et j'étais étudiant en chimie. Je l'ai lu d'une traite en quelques semaines et depuis je l'ai relu plusieurs fois entièrement ou partiellement. […]

Ce que le père Marie-Eugène m'a apporté par *Je veux voir Dieu*, c'est d'abord une explication des nuits, de la présence et de l'amour de Dieu malgré son silence et son apparente absence. Le Père m'a expliqué un Dieu proche, y compris sans expérience positive, dans la nuit et la tempête. […] Il m'a expliqué ce que je vivais et m'a appris à le vivre davantage dans la paix. […]

À la suite de ce livre, j'ai lu tous les textes du père Marie-Eugène que j'ai trouvés. En particulier, lorsqu'il parle de l'Esprit Saint dans *Ton amour a grandi avec moi* : « Je l'appelle mon ami et je crois que j'ai des raisons pour cela » ou « Je veux demander pour vous l'Esprit Saint »…

Je ne suis pas membre de l'Institut Notre Dame de Vie et ne le serai probablement pas, mais j'espère être de ses enfants, de ceux pour qui il demande l'Esprit Saint…

Témoignage d'Alain,
publié dans la lettre de la cause n° 14 (2004), p. 13.

La foi nous ouvre les régions
mystérieuses de la vie de Dieu.
Vie de la Trinité, Vie ineffable
à laquelle nulle autre ne peut être comparée.

Flots de lumière... feu, embrasement,
océan sans rivage, infini ;

Vie débordante, paisible,
silencieuse, auprès de laquelle
tout mouvement paraît immobilité
et toute paix, agitation ;

Vie dont toute vie dérive
et qui habite les trois Personnes
dans un bonheur
sans limites et sans fin,
dans une béatitude infinie !

En face des merveilles
que Dieu lui découvre,
l'âme ne peut que rester silencieuse.

Pour échanger

♦ Quand le silence nous attire-t-il ?
   Quand le fuyons-nous ?

♦ Dans notre emploi du temps, pouvons-nous souvent choisir plus de silence ?

♦ Comment pourrions-nous favoriser dans nos lieux de vie des espaces concrets de silence ?

♦ Parmi les citations du père Marie-Eugène, laquelle prendrions-nous comme guide pour les jours à venir ?

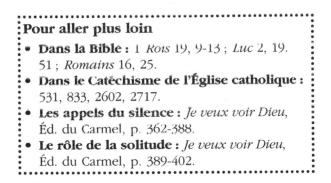

Pour aller plus loin

• **Dans la Bible :** 1 *Rois* 19, 9-13 ; *Luc* 2, 19. 51 ; *Romains* 16, 25.
• **Dans le Catéchisme de l'Église catholique :** 531, 833, 2602, 2717.
• **Les appels du silence :** *Je veux voir Dieu*, Éd. du Carmel, p. 362-388.
• **Le rôle de la solitude :** *Je veux voir Dieu*, Éd. du Carmel, p. 389-402.

4.

L'Esprit Saint, un ami

*« Avec l'Esprit Saint,
on touche, semble-t-il,
au mystère du père Marie
Eugène. »*

Marie Pila, cofondatrice
de Notre-Dame de Vie

Dans ces textes familiers, témoins de son expérience personnelle, le père Marie-Eugène donne quelques conseils pour découvrir l'Esprit Saint et son langage. Il nous aide ainsi à ne pas le confondre avec nos sentiments, à ne pas le tenir à distance, à nous placer librement sous sa conduite.

Dieu s'occupe de chacun de nous

L'Esprit Saint, c'est un grand personnage qui s'occupe de chacun de nous.

Vous pouvez vous dire : l'Esprit Saint me suit depuis que j'existe, depuis toujours Il veut que je l'aime.

L'Esprit Saint a de la joie à être chez nous… C'est là notre trésor, notre richesse : cet Esprit de Dieu, cet Esprit d'Amour qui est en nous et qui travaille en chacun de nous avec le même soin, avec la même puissance que pour l'Église tout entière.

Toute notre sainteté est contenue dans la pensée de l'Esprit Saint et Il la réalise avec beaucoup d'amour.

> « Il est vivant,
> l'Esprit d'amour qui vit en moi
> et qui m'a pris depuis longtemps.
> Ma sainteté sera de croire en Lui,
> en sa présence,
> et de me livrer à son emprise. »
> Notes intimes

L'Esprit Saint fait l'Église

C'est lui qui a réalisé l'humanité du Christ. C'est lui aussi qui fait l'Église, c'est lui qui construit notre sainteté. Lorsque nous visitons des œuvres d'art nous ne comprenons pas tout, et cependant l'architecte qui nous les présente nous en dit assez pour nous faire admirer. De même, demandons humblement à l'Esprit Saint qu'il nous présente le Christ.

L'Esprit nous fait crier « Abba ! Père ! » et nous penche en même temps sur le monde. Ils vont de pair, ces deux mouvements. Je ne vois pas comment on pourrait les opposer : c'est le même amour !

L'Esprit Saint est l'architecte de l'Église. Nous, nous dépendons de lui et pour que notre travail soit efficace, il faut qu'il soit fait en collaboration avec l'Esprit Saint. Nous sommes les petits apprentis, nous lui faisons passer les outils, nous plaçons les pierres comme il nous le dit... Dans ce grand chantier, Dieu réunit des ouvriers pour construire l'Église.

Il faut entrer dans le mouvement !

L'Esprit Saint, c'est un brasier immense, c'est un océan qui se répand continuellement : Il est en mouvement, il est l'Amour qui se répand. Il est le Dieu de paix, mais il donne la paix par le mouvement, par l'effusion de son amour.

L'Esprit est en marche. Nous ne sommes pas là pour le regarder courir : l'Esprit Saint, ce n'est pas le Tour de France que l'on va voir au sommet d'une montagne pour voir s'il marche bien ! Il faut se laisser emporter par l'Esprit ! Il faut entrer dans le mouvement !

Travailler avec l'Esprit Saint

L'Esprit Saint a besoin de notre docilité, de notre attention, beaucoup plus que de notre force. De la force, il en a, lui, la force infinie, et il nous en donnera si nous n'en avons pas. Il faut que nous soyons ouverts à l'Esprit Saint : voilà la première condition de notre vie spirituelle.

Qu'importent les qualités naturelles ! La grande qualité, la grande richesse, c'est d'être pris par l'Esprit, c'est d'être travaillé par l'Esprit, c'est d'être transformé par l'Esprit.

Quand vous serez convaincus de sa présence, dites-lui : « Unissez ma volonté à la vôtre, afin que nous soyons toujours deux à agir, que jamais je n'agisse seul, que jamais je ne me ferme à votre action ».

Tout le monde a remarqué probablement que, quand je parle de l'Esprit Saint, ordinairement je m'enflamme assez facilement.

Je l'appelle « mon ami » et je crois que j'ai des raisons pour cela. En plusieurs circonstances, je crois avoir été saisi d'une façon vigoureuse, d'une façon absolument certaine.

Je veux demander pour vous l'Esprit Saint.

Voilà le testament que je vous laisse, en demandant la grâce que le bon Dieu, que l'Esprit Saint descende sur vous et que vous puissiez tous dire, le plus tôt possible, que l'Esprit Saint est votre ami, que l'Esprit Saint est votre lumière, que l'Esprit Saint est votre Maître.

C'est le vœu que je forme pour vous et c'est la prière, sachez-le bien, que je vais continuer sur la terre tant que le bon Dieu me laissera ici et que je continuerai certainement pour vous pendant l'éternité.

Extraits du Testament spirituel
du père Marie-Eugène,
février 1965

L'Esprit Saint va chez les pauvres

Sentir sa pauvreté, c'est la grâce des instruments de Dieu. Dites-lui : « Je suis pauvre… » L'Esprit Saint va chez les pauvres, c'est pour cela qu'on l'appelle le Père des pauvres. Il vous aidera : Il ne demande pas mieux !

Surtout, demandez-lui l'amour : de l'amour, toujours de l'amour. Il répond d'autant plus volontiers qu'il est l'Amour. Il n'a pas d'effort à faire !

Pour prier

Quand on veut recevoir
un enseignement de l'Esprit Saint,
il faut se mettre dans l'atmosphère où Dieu parle :
dans le silence.

Qu'il soit un océan calme
ou qu'Il vienne en tempête,
vous le prendrez comme il se présentera.
Vous vous réjouirez en Lui.

Il est immense… infini…
Il nous remplit, Il nous prend,
Il nous déborde…

Toutes nos prières doivent être animées,
soutenues par cette certitude
que rien ne nous manquera
puisque le Père nous aime,
puisque Jésus notre Frère nous aime,
puisque l'Esprit Saint, l'Amour substantiel,
est en nous pour nous éclairer,
pour nous assister à tout moment.

Pour échanger

* Dans quelles circonstances avons-nous déjà pris conscience de l'action de l'Esprit Saint dans l'Église ?
Et dans nos communautés ?

* Nous arrive-t-il de L'appeler dans la vie quotidienne ?

* Que signifie pour nous « entrer dans le mouvement de l'Esprit Saint » ?

* Quel texte, quelle expression du père Marie-Eugène sur l'Esprit Saint nous rejoint maintenant ?

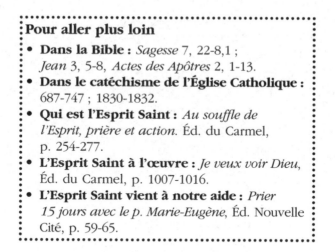

Pour aller plus loin

* **Dans la Bible :** *Sagesse* 7, 22-8,1 ;
Jean 3, 5-8, *Actes des Apôtres* 2, 1-13.
* **Dans le catéchisme de l'Église Catholique :**
687-747 ; 1830-1832.
* **Qui est l'Esprit Saint :** *Au souffle de l'Esprit, prière et action.* Éd. du Carmel, p. 254-277.
* **L'Esprit Saint à l'œuvre :** *Je veux voir Dieu*, Éd. du Carmel, p. 1007-1016.
* **L'Esprit Saint vient à notre aide :** *Prier 15 jours avec le p. Marie-Eugène*, Éd. Nouvelle Cité, p. 59-65.

5. Jésus notre lumière

« Jésus, vous êtes ma récompense, vous me suffisez. »

Le témoignage des évangiles était la nourriture du père Marie-Eugène. Se mettant à la suite de Jésus, il avait de lui une connaissance intérieure, d'ami à ami. Il parlait de lui avec familiarité et immense respect, avec un enthousiasme communicatif dont nous trouvons ici l'écho.

Vraiment Dieu, vraiment homme

Connaître le Christ Jésus, c'est notre grande grâce, la grande grâce du chrétien.

Jésus ! Il est le maître par excellence, par sa parole, par son enseignement, par ses exemples ; il est le Maître aussi par ce qu'il est. En lui, il porte Dieu et il porte l'humanité, en lui il porte les relations de Dieu avec l'homme.

Jésus est amour. Il nous aime d'un amour infini et en même temps d'un amour humain.

Jésus-Christ est la Lumière, source de toute lumière. La révélation du mystère de Dieu est enclose dans le Christ. Il est la parole de Dieu dans le monde, parole qui apporte la lumière, splendeur du Père donnée ici-bas, source de lumière.

Jésus, bon pasteur

Jésus, le bon Pasteur, est Dieu, Dieu amour. Cette bonté n'est pas seulement sur son visage, dans la douceur de ses traits et la délicatesse de ses gestes, elle est vraiment dans les profondeurs de son âme.

Quelle joie de savoir que nous ne lui sommes jamais étrangers : Il nous suit dans tous nos gestes extérieurs, dans nos dispositions intérieures, dans nos joies et nos souffrances.

Son regard est toujours penché sur nous. Nous sommes toujours présents au bon Dieu et son regard est chargé d'amour.

Ému par notre faiblesse

La nourriture que nous trouvons dans l'Écriture Sainte qui est sa Parole, il l'adapte aussi à nos besoins, à notre bonne volonté, à nos faiblesses, aux exigences de notre pauvreté individuelle. Il est vraiment notre maître, notre guide, notre nourriture.

« Notre-Seigneur a pitié de cette foule ». Il nous est bon, n'est-il pas vrai, de saisir dans l'Évangile les sentiments de Notre-Seigneur. Lorsqu'il pleure sur Lazare, nous sommes heureux de le voir pleurer comme nous. Lorsque nous le voyons avoir pitié de cette foule qui a faim et s'en émouvoir, nous trouvons en lui l'homme et ses sentiments humains, affectueux. Remercions Notre-Seigneur de nous avoir dévoilé un peu de son cœur. Ce cœur qui se penche sur nous n'a pas changé.

Devant notre misère, notre pauvreté, notre faim physique, notre faim spirituelle, Notre-Seigneur est ému de pitié.

Et il n'hésite pas à faire le miracle.

Humblement donné dans l'Eucharistie

Il s'est donné en nourriture dans la sainte Eucharistie. Nous mangeons sa chair, nous buvons son sang, nous recevons son amour, sa lumière. Il se donne lui-même continuellement.

Il a plus faim d'être mangé que nous-mêmes n'avons faim de le manger.

Cette eau jaillissante qu'il est a encore plus soif d'être bue que nous n'avons soif de la boire.

Il vient pour nous transformer dans sa lumière et sa charité.

Il est si humble, lui, dans ce sacrement, il se réduit à une petite hostie ! Devant sa majesté cachée, à nous de nous faire humbles et de développer notre foi afin que ce don qu'il fait de lui-même ait son plein effet en nous.

Agneau qui porte le péché

Vous avez eu peur, vous avez été dans l'angoisse... Ô Jésus, merci de nous l'avoir montrée ! Nous découvrons que vous avez connu cette pauvreté, vous en avez souffert. Dans cette faiblesse, ô Jésus, il y a un grand amour.

La Croix du Christ, c'est notre salut, notre vie, notre triomphe. C'est dans cette perspective que nous devons partager la souffrance et la mort du Christ.

La déchristianisation, l'indifférence des âmes que nous aimons... ce flot, cette quantité d'âmes dans nos paroisses et dans le monde, que nous ne pouvons pas atteindre et que nous voudrions atteindre... Cette souffrance, Notre-Seigneur l'a portée.

Jésus et Descartes

Jésus n'a pas dit comme Descartes : « Je pense donc je suis » ! Il a dit : « J'existe, donc je me donne ».

« Voici, je viens » : Voilà le premier acte d'intelligence, de volonté, le premier acte libre que pose Notre-Seigneur.

Ce don, cette offrande va rester sa disposition fondamentale. Il le dira plus tard : « J'ai une nourriture : faire la volonté de mon Père ». Cette adhésion continuelle, c'est sa nourriture, c'est sa vie.

Notre chemin

L'Église, parce qu'elle est le Christ, parce qu'elle est animée par l'Esprit Saint, va reproduire le Christ. Elle va vivre selon les lois du Christ. Il faut que l'Église passe par là.

Considérer le Christ, l'imiter dans ses actes, dans ses pensées, dans ses sentiments et ses vouloirs, le suivre de Bethléem au Calvaire est la voie la plus sûre et la plus courte.

Unis à Jésus et fixés en Lui, nous sommes au terme de nos ascensions et déjà en notre place d'éternité.

Nous sommes chez nous quand nous sommes en lui, quand nous sommes chez lui, car c'est lui le pâturage auquel il nous conduit.
La porte à laquelle il nous conduit, c'est son âme, c'est sa vie, c'est lui-même.
Nous devons remplir notre âme, notre intelligence, notre mémoire, du Christ Jésus.

Ô Jésus, je veux être de vos amis,
je veux être de ceux qui vous ressemblent,
je veux être de ceux qui luttent comme vous.
Je veux mettre mes pas dans les vôtres,
ma souffrance dans la vôtre,
ma défaite dans la vôtre.

Daignez, ô Jésus, me prendre auprès de vous ;
je veux cette ressemblance d'amour,
je veux aimer comme vous,
par les mêmes moyens que vous.

Je me mets moi aussi
sous la paternité du Père,
pour être fils comme vous.

Je veux me mettre comme vous,
sous la domination de l'Esprit d'amour,
qu'il m'éclaire de la lumière d'amour…

qu'il me construise
comme il vous a construit, avec de l'amour,
qu'il me plonge en lui, brasier d'amour,
qu'il me purifie et me transforme.

Je vous le demande, ô Jésus.

Méditation pour le Jeudi Saint

Pour échanger

- Quel temps liturgique nous aide le plus à nous approcher de Jésus ?
- « Remplir notre intelligence, notre mémoire du Christ Jésus » : que pouvons-nous faire concrètement pour cela ?
- Des phrases parcourues dans ce feuillet, laquelle voudrions-nous faire partager à nos proches ?

Pour aller plus loin

- **Dans la Bible :** *Jean* 8, 12 ; 2 *Corinthiens* 4, 1-6.
- **Dans le Catéchisme de l'Église catholique :** 356-368, 422-682, 748, 1730-1748, 2466, 2665-2669.
- **Le mystère de Jésus :** *Je veux voir Dieu*, Éd. du Carmel, p. 66-79.
- **Connaître Jésus :** *Les premiers pas de l'Enfant-Dieu*, Éd. du Carmel, p. 15-21.
- **Chemin de Croix :** *La Vierge Marie toute Mère*, Éd. du Carmel, p. 111-153.
- **Présence du Christ dans notre vie :** *Prier 15 jours avec le p. Marie-Eugène*, Éd. Nouvelle Cité, p. 97-103.

Joies et difficultés de la prière

*« La grande urgence :
donner du temps à Dieu ! »*

Nous avons beau savoir que la prière est vitale... notre élan se heurte chaque jour à des obstacles, intérieurs et extérieurs. Conseiller spirituel familier des difficultés de la route, le père Marie-Eugène ne donne pas de recettes : il ouvre les perspectives essentielles et nous encourage à persévérer !

La joie de Dieu : nous combler

L'acte de foi, l'acte de confiance fait tressaillir Dieu, le réjouit.

En cette époque d'indifférence générale à l'égard de Dieu, où tout le monde cherche le paradis ici-bas, Dieu cherche des âmes partout, n'importe où, et il leur donne autant qu'elles espèrent. Plus que jamais l'Amour veut se répandre.

Quelle ne sera pas la joie de Dieu lorsqu'il trouvera une âme qui Lui laisse toute liberté et en qui il peut se répandre selon toute la mesure qu'il désire !

Donner à Dieu une grande confiance, c'est le moyen pour nous d'être comblés au-delà de tous nos mérites, au-delà même de toutes nos capacités humaines, et encore au-delà : à la mesure des désirs de Dieu qui dépassent infiniment les nôtres.

La prière est toujours possible

Dieu a toujours la porte ouverte pour nous laisser entrer en lui par la prière.

Même en état de fatigue, pourvu que ma foi cherche Dieu, qu'elle dise son amour à Dieu, ma prière sera efficace. La prière est toujours possible.

Dieu nous regarde avec amour parce que nous sommes ses enfants et cela est indépendant des actes d'amour que nous pouvons lui offrir. Le regard de Dieu nous enveloppe quel que soit notre état psychologique et notre faiblesse.

Vos dispositions psychologiques ne sont pas plus importantes pour la prière que la couleur des murs de la chapelle.

Où et quand ?

Chacun, suivant les conditions de sa vie ordinaire, choisira le cadre qui lui est le plus favorable et le plus accessible.

L'oraison a besoin de solitude.

La première difficulté est de trouver le temps. Lorsqu'on veut mettre l'oraison dans sa vie, il faut s'organiser.

L'expérience prouve qu'il est des gens très occupés qui font oraison. Il faut surtout avoir la conviction que l'oraison est utile.

La méthode d'oraison, d'intimité avec Dieu, c'est celle qui nous réussit.

« Mon Dieu, je crois ». Le sentiment qui s'y ajoute est quelque chose d'accessoire.

Je ne ressens rien

Le danger vient surtout de ce qu'on attend une consolation sensible et qu'on la recherche. Il s'agit d'aller à l'oraison pour Dieu, de savoir qu'on fait un échange avec Dieu, et on lui dit : « Voilà, vous savez ce que je suis, vous savez ce que je vaux, vous savez ce dont j'ai besoin ». Et Dieu donne ce dont on a besoin.

Savez-vous qui a le mieux connu l'obscurité de Dieu ? C'est la Sainte Vierge : c'est elle qui a le plus vécu dans le mystère de Dieu.

Dans la prière de sainte Thérèse de l'Enfant-Jésus, il y a du brouillard, des tentations contre la foi, les infidélités de l'âme qui ne sait pas toujours tenir son regard sur Dieu… Mais qu'y a-t-il surtout ? La persistance d'un regard vers Dieu, la foi en Dieu, en ce Soleil qui est toujours là, derrière les nuages.

Devenir contemplatif

La présence d'amitié se développant, Dieu rêve de faire quelque chose de plus grand pour moi, de devenir vraiment le pilote de mon âme, de se placer au gouvernail, de la prendre en main, d'être véritablement la lumière de mon intelligence.

La contemplation, ce n'est pas les grâces extraordinaires, ni les extases, ni les expériences de Dieu. La contemplation n'est pas faite d'un assemblage de pensées : elle est faite d'un regard, d'un regard sur Dieu simplifié par l'amour.

Par la contemplation, sa vie descend en nous. Ma sainteté, ma vie intérieure, c'est de le regarder, c'est de me soumettre, c'est de le laisser agir, de supporter son action.

Nous y sommes tous appelés

Ne plaçons pas la haute contemplation dans des régions mythiques que personne ne peut atteindre ; mettons-la à sa place, c'est-à-dire dans le développement de la grâce de notre baptême.

La grosse erreur consiste à dire : « Cela, c'est pour les saints, je n'appartiens pas à cette catégorie. » Non, nous y sommes tous appelés et le Concile Vatican II nous le rappelle très heureusement.

Est-ce que l'enfant peut prier ? Mais oui, il le peut ! Comment exprimera-t-il sa prière ? Comme un enfant : par un baiser au tabernacle, par un sourire peut-être, par une parole dont nous comprendrons à peine le sens. Un peu plus tard, il le fera avec des images, puis avec une pensée. Le contact est établi avec Dieu. L'enfant peut exercer sa foi, non pas d'une façon explicite à la manière d'un adulte, mais d'une façon cependant réelle.

Pour prier

Disons-Lui simplement, affectueusement :
« *Tout ce que vous m'avez donné,*
je veux vous le donner ».

Je suis devant Dieu,
je n'ai ni pensées, ni sentiments,
je suis dans la sécheresse,
je puis me replier sur moi-même
ou penser : « Je m'en vais ».

Le véritable mouvement que doit nous inspirer
le sentiment de notre faiblesse,
c'est de nous porter vers Lui et de dire :
« *Le bon Dieu est puissant, infini,*
moi, je ne suis rien…
je n'ai pas un brin d'amour,
alors je vais me tourner vers lui
pour qu'il me comble.
Il va tout me donner ».

Pour échanger

* Quelles sont les « joies et difficultés de la prière » évoquées dans cette fiche ? Y reconnaissons-nous les nôtres ?

* Quel est pour nous « le cadre le plus favorable » pour prier ?

* Comment concrètement « trouver le temps » de la prière ?

* Louange, demande, adoration, remerciement, accueil… quelles sont dans notre relation à Dieu les formes les plus spontanées ? les plus gratuites ?

Pour aller plus loin

* **Dans la Bible :** *Psaume* 22 ; *Psaume* 102 ; *Romains* 8, 26-27.

* **Dans le Catéchisme de l'Église catholique :** 2725-2745.

* **Distractions :** *Je veux voir Dieu*, Éd. du Carmel, p. 214-216.

* **La nuit :** *Je veux voir Dieu*, Éd. du Carmel, p. 520 s.

* **Sentiment d'impuissance devant Dieu :** *Jean de la Croix – Présence de lumière*, Éd. du Carmel, p. 226.

* **La puissance de la prière :** *Je veux voir Dieu*, Éd. du Carmel, p. 57-65.

7.

Une joyeuse charité

« Pour aimer il faut servir et en servant on parvient à la plénitude de l'amour. »

Amour : la réalité la plus désirée, le mot le plus employé, le plus abîmé aussi. Le vieux terme « charité » nous invite à renouveler notre émerveillement pour l'amour, le vrai, définitif et quotidien : un don, un partage, un chemin de communion, qui vient de Dieu et nous conduit à Lui. Le père Marie-Eugène chemine avec nous.

La charité est le signe du chrétien

La charité fraternelle est le meilleur moyen d'entrer dans l'intimité du Christ, le signe le plus certain que nous y avons fait des progrès.

La charité est le signe du chrétien parce qu'elle est l'essence du christianisme. Dieu est amour, la grâce est amour. L'Église, qui est l'union des âmes, est charité, amour.

« Je ne vous appelle plus serviteurs mais amis ». La loi qui préside à la vie de l'Église, la sève de la vigne, c'est l'amour : l'amour qui descend du Père sur Jésus, et de son âme sur ses disciples, l'amour qui doit unir les disciples entre eux.

Le prochain, c'est tout le monde

Voir les autres dans la réalité de leur être, les voir comme Dieu les voit, comme Dieu vous a vus dans son dessein éternel et comme il vous verra dans l'éternité.

Ne pensons pas que cette charité ira uniquement aux malheureux, elle ira à tout le monde. Le prochain, c'est tout le monde.

Évidemment, tout cela exige le renoncement, la sortie de soi. Cela demande qu'on ne reste plus penché sur son âme, qu'on n'en fasse pas le centre du monde.

Un fond de bienveillance

Nous devons croire à la miséricorde, pour nous et pour les autres.

Réserver son jugement : peut-être qu'en arrivant cinq minutes en retard, l'autre a plus de charité que vous qui arrivez en avance.

Ce n'est pas à nous d'envoyer les gens en enfer !

La bienveillance n'empêche pas la prudence : charité n'est pas sottise.

Une âme qui progresse a ce fond de bienveillance.

Adorer Dieu dans les personnes qui nous entourent, dans les âmes que nous aimons ; saluer Dieu d'une façon habituelle.

Nous avons des difficultés avec telle personne ? Saluons Dieu en elle.

C'est par l'amour du prochain qu'on purifie son amour pour le Bon Dieu.

Dieu nous a tant pardonné

Ce grand roi qu'est le bon Dieu nous pardonne, Il nous remet notre dette si nous lui demandons pardon. S'il nous a tant pardonné, nous aussi nous devons pardonner les petites dettes, les petites offenses.

Dieu pardonne toujours. L'âme doit faire comme Dieu. C'est le même amour en Dieu et dans la créature, il a les mêmes gestes.

Pratiquons la charité à l'égard de nos frères comme Dieu la pratique à notre égard.

Une patience inlassable

Notre Seigneur ne nous demande pas de ne pas ressentir l'injure ; il nous demande de couvrir cela par notre charité : de vouloir du bien à ce prochain, de prier pour lui.

Il faut voir Dieu en nos frères à travers leurs défauts. Il faut avoir l'estime des âmes. C'est une porte à ouvrir. Alors, quand on a commencé de juger avec indulgence, on est étonné de voir des merveilles.

Si vous voulez pratiquer la charité comme Dieu, vous devez être des âmes patientes et qui voient grand.

Soyons patients, d'une patience inlassable ; cette patience a une influence énorme. Ne condamnez jamais complètement mais laissez la porte ouverte.

Ceux dont je suis chargé, je dois les envelopper de prière.

La charité éclaire alors que l'égoïsme aveugle, elle dilate tandis que l'égoïsme referme, elle est joyeuse alors que l'égoïsme est mécontent.

Mendier l'amour

L'Esprit Saint nous donne sa force, sa lumière, mais le don le meilleur, c'est l'amour.

La prière de demande accompagne l'adoration de ce Dieu invisible qui s'est penché sur nous. Notre Seigneur nous montre comment faire : « Donnez-nous notre pain quotidien, le pain matériel, le pain spirituel qui donnent les forces nécessaires, donnez-nous la charité les uns pour les autres afin que nous sachions pardonner les offenses ».

La valeur véritable

Votre rôle, où qu'il soit, est de servir dans le silence, dans l'obscurité, sans vous montrer. Ce qui importe, c'est le service que vous rendez, c'est la charité, l'affection que vous donnez.

Le monde met la valeur dans la fortune, les qualités purement humaines, parfois même dans la fonction. La véritable valeur est dans la charité, la délicatesse que nous avons pour Dieu, et la charité que nous avons pour le prochain.

> « C'est ainsi que je trouvai le père Marie-Eugène au premier contact : père dans toute l'acception du mot. Il avait des attentions et des délicatesses extraordinaires. Sa charité était vraiment exceptionnelle. Il savait susciter l'activité, stimulant les meilleures énergies de chacun, s'intéressant à tous et les encourageant. »
>
> Père Valentino, Carme

Pour prier

« *Je n'ai pas assez d'amour* », dites-vous.
Demandez à l'Esprit Saint
qu'il fabrique pour vous cette charité.
Rappelez-vous la prière de Sainte Thérèse de l'E.J.
« *Surtout je vous demande l'amour* ».

Dans la prière,
demandez la lumière qui soutient,
mais surtout demandez l'amour.
C'est la prière à faire continuellement,
la récompense qu'il faut demander
à l'Esprit Saint :
de l'amour, toujours de l'amour.

Pour échanger

- Quel est l'acte ou la parole de charité de Jésus qui nous touche le plus ?
- Quelle vie de saint(e) illustre pour nous la bonté de Dieu ?
- Avons-nous déjà adoré Dieu dans les autres et en nous-mêmes ? Cela nous a-t-il aidé ?
- De qui pourrions-nous nous faire plus proches dans nos divers lieux de vie ?

Pour aller plus loin
- **Dans la Bible :** *Matthieu* 25, 31-46 ; *Jean* 15, 7-17 ; 1 *Corinthiens* 13.
- **Dans le Catéchisme de l'Église catholique :** 1822-1829, 1965-1966, 2055, 2822ss.
- **Construire l'amitié :** *Je veux voir Dieu*, Éd. du Carmel, p. 227-245 ; 376 ; 1049 ; 1074-1075.

8. Marcher dans l'espérance

« Ce n'est pas parce que ça monte qu'on s'est trompé de chemin »

Notre existence est faite d'incertitudes, pour nous et pour nos proches. Espérer, ce n'est pas fuir ; c'est au contraire recevoir à chaque pas la force de l'engagement. Le père Marie-Eugène a connu la paix de l'espérance au milieu de profondes angoisses. Les pensées qu'il partage rejoignent notre quotidien.

Au pas de Dieu

Nous comprenons qu'il faut vingt ans à un petit enfant pour devenir un homme et sur le plan spirituel nous voudrions que tout soit fait tout de suite !

Dieu mène le mouvement. Il est laboureur, semeur, vigneron, il fait croître cette vie, la sienne, il donne la grâce.

En attendant il faut supporter. C'est une chose douloureuse de se mettre au pas de la croissance divine de la grâce. Sachons attendre Dieu. Nous voudrions que tout aille vite, voir vite mûrir nos épis... Sachons être le grain à peine éclaté, la petite tige. Si le grain a germé, la tige se développera.

Ferons-nous quelque chose pour que cela aille plus vite ? Non. Allons au pas du bon Dieu.

Ayons de la patience avec nous-mêmes et ne disons pas que la grâce est morte parce qu'elle est lente.

Les ailes de l'oiseau

La foi nous découvre Dieu, l'espérance le désire et espère l'atteindre.

L'espérance nous fait marcher vers Dieu. Elle est pour nous ce que les ailes sont à l'oiseau.

Que rien ne vous arrête, ni les joies ni les souffrances, que l'espérance soit tellement développée en vous que vous sachiez tout utiliser pour voler vers Dieu.

C'est par l'espérance que nous attendons Dieu : nous savons que Dieu viendra et nous sera donné.

La route des événements quotidiens

L'action de la Sagesse de Dieu est immergée habituellement dans la vie quotidienne et se cache sous le voile des événements les plus ordinaires.

Dieu est patient et nous impose aussi cette loi de la patience. Les œuvres de Dieu en nous se font à longueur de temps et lentement.

Des clartés apparaissent aux carrefours pour nous fixer la direction, pour nous donner des certitudes, et ensuite, c'est la route caillouteuse, c'est la route qui monte, la route sous le soleil, la route parfois sous la tempête. Voilà notre vie ici-bas.

Ce n'est pas parce que nous ne voyons pas la grâce qu'elle n'existe pas.

Si nous croyons, un jour nous aussi nous entendrons la parole qu'a entendue la Sainte Vierge de la part d'Élisabeth, et ce sera le bon Dieu qui nous l'adressera : « Bienheureux parce que vous avez cru ! »

Heureux les pauvres

Auparavant ça allait et maintenant on n'a plus le même moral. Le bon Dieu permet cela pour qu'on ait recours à Lui, pour qu'on soit obligé de faire appel à Lui dans les moindres choses.

L'impression d'appauvrissement spirituel est notre grande richesse. Pourquoi ? Parce que dans le domaine spirituel, le grand danger, c'est le pharisaïsme.

Cette pauvreté ne rend pas timide pour l'action. Ce sentiment de pauvreté est une grande grâce si on fait confiance à la miséricorde de Dieu.

« Faites que j'accepte d'être ce que je suis, un pauvre sans vertu, sans humilité… »

Tristesse et joie sont nécessaires

Il faut qu'il y ait des vicissitudes, il faut se courber, se relever ; Dieu a mis une grâce de développement en tout. La croissance de la grâce profite de la nuit, du jour, il lui faut le soleil du jour, la rosée de la nuit. Qu'est-ce qui est le plus utile ? Il faut cette tristesse et cette joie : les deux sont nécessaires pour faire croître le Royaume de Dieu.

Le bon Dieu et les mathématiques

Nous attendons notre pain quotidien, le pain matériel et le pain spirituel. Nous savons que le bon Dieu le donnera et ce sera plus grand que ce que nous avions espéré.

On croit toujours que le bon Dieu nous donne simplement ce que nous méritons. Eh non ! Sainte Thérèse de l'Enfant-Jésus avait un mot délicieux : « Le bon Dieu n'aime pas les mathématiques ».

Acte de confiance et effort personnel sont tous deux nécessaires ; non pas que notre effort soit efficace mais il est nécessaire pour montrer notre bonne volonté.

La confiance en Dieu attire la réponse de Dieu.

Accueillir chaque jour qui vient

Laissons-nous vaincre chaque jour par la Miséricorde en lui donnant notre coopération, en lui faisant le don complet de nous-mêmes.

Pourquoi mesurer la difficulté de demain ? Prenons chaque jour, simplement, le travail qui nous est demandé, humblement et paisiblement. L'amour dont nous aurons besoin demain, même s'il doit fournir un effort violent, un effort héroïque, nous sera donné sur l'heure, il nous viendra de Dieu.

Nous aimerons en travaillant, d'un amour qui doit grandir à mesure que la difficulté augmente. C'est ce parfum d'amour qui plaît à Dieu. Le parfum d'amour que nous mettons en toutes choses, surtout dans les plus petites de la vie quotidienne, rejoint le souffle d'amour de Dieu sur notre âme.

Ô Vierge Marie,
aidez-nous à assurer à l'Esprit Saint
la fidélité qu'il attend de nous.
Fortifiez notre foi, si faible parfois,
qui doit traverser l'obscurité,
passer au-delà de toutes les angoisses,
pour aller à Dieu et croire en lui.

Aidez-nous aussi
à lui donner la fidélité de l'amour
dans toute notre vie,
notre vie quotidienne et notre vie à venir.

Aidez-nous à lui dire :
« *Je vous donne déjà tout l'amour,*
toute la fidélité d'amour
que vous attendez de moi.
Maintenant et dans l'avenir, demain,
dans dix ans, dans vingt ans,
jusqu'au dernier soupir,
que je tienne cette fidélité d'amour. »

Pour échanger

- Quel sens donnons-nous à l'expression « aller au pas de Dieu » ?

- Avons-nous déjà expérimenté dans nos vies que « tristesse et joie » sont nécessaires ?

- Jusqu'où, concrètement, va notre confiance en Dieu ?

- Comment mieux faire confiance à Dieu au quotidien, et le Lui dire ?

Pour aller plus loin

- **Dans la Bible :** *Matthieu* 13, 24-30 ; *Marc* 6, 45-48 ; 1 *Pierre* 4, 7.
- **Dans le Catéchisme de l'Église catholique :** 1817-1821, 2657.
- **Espérance et pauvreté :** *Je veux voir Dieu*, Éd. du Carmel, p. 824-838.
- **Puissance de l'espérance :** *Jean de la Croix – Présence de lumière.* Éd. du Carmel, p. 192-204 ; *Prier 15 jours avec le p. Marie-Eugène*, Éd. Nouvelle Cité, p. 72-77. 78-90.

9.

Prier,
c'est rencontrer Dieu

Pour qui veut « trouver Dieu » par le chemin de la prière silencieuse, le père Marie-Eugène pourra se révéler un guide très proche. Au-delà des mots ou de l'habitude, il nous dévoile l'inouï de la prière : entre Dieu et nous, l'abîme, mais aussi la proximité d'une Présence intérieure qui nous transforme.

Rencontre

La prière, c'est un entretien. Nous pourrions dire tout simplement : c'est un contact avec Dieu, un échange affectueux avec Dieu.

Je puis créer avec lui des liens réciproques. Il me connaît, il m'aime et moi, à mon tour, je le connais et je l'aime. Il m'aime comme un Père et je l'aime comme un fils. C'est sa joie. La rencontre de deux amours, voilà ce qu'est l'oraison.

Quand le contact est établi, il y a un échange véritable : Dieu est un océan, Dieu est un feu, Dieu est une fontaine vive. Chaque fois que nous prenons contact avec Lui, nous touchons l'océan qu'il est, nous touchons à la flamme, à l'incendie qu'il est, et nous puisons en lui.

Une marche intérieure

Mon Seigneur et mon Dieu réside véritablement en moi.

La vie spirituelle est par excellence une vie intérieure ; la marche vers Dieu est une intériorisation progressive jusqu'à la rencontre.

L'élan de l'amour reçu au baptême

Dieu m'a aimé, Dieu m'a donné sa grâce, Dieu m'appelle : c'est lui qui est mon espérance.

Quand on a pris conscience de la grâce du baptême, du sceau qu'elle porte, de la lumière qu'elle donne, de la direction qu'elle imprime, des espérances qu'elle donne, on a une ancre dans sa vie.

Notre grâce baptismale, c'est un amour vivant.

Se porter vers Dieu, c'est déjà faire oraison. Rien ne semble plus aisé et plus simple que de se livrer à cet instinct filial.

L'acte humain par excellence

Nous devons regarder Dieu parce que nous sommes ses enfants. On n'aime pas son père et sa mère uniquement parce qu'ils continuent à nous faire des cadeaux. Ces relations ici-bas sont donc très importantes, essentielles à l'homme, essentielles à l'enfant de Dieu.

Cette prise de contact avec Dieu est l'acte essentiel de l'homme, l'acte humain par excellence. Quand nous regardons la prière de cette façon, nous voyons l'importance qu'elle doit avoir dans notre vie.

Dès le noviciat :

L'oraison est en quelque sorte le soleil et le centre de toutes les occupations de la journée. On a l'impression chaque soir qu'on n'a guère fait que cela d'important. On retrouve tout et tout le monde en Jésus et on peut leur être beaucoup plus utile.

Lettre du père Marie-Eugène à un ami, 6 mai 1922

Aller vers Jésus

Il faut chercher une occupation avec Dieu. Il n'en est pas de meilleure que de chercher la compagnie de Jésus et de s'entretenir avec lui Pour trouver Dieu, il faut aller vers le Christ Jésus.

Rapprochons-nous de Jésus ; il nous regarde, il veille sur nous : ne le quittons pas du regard, qu'il nous soit toujours présent et que notre regard affectueux, notre regard de foi, le cherche toujours.

Avoir trouvé Jésus, lui parler ou simplement le regarder suffit. L'amour qui avait hâte de trouver est satisfait par ce simple contact. Ce contact est vivant.

Berger ou Mage, on ne peut atteindre Dieu ici-bas qu'en s'agenouillant devant la crèche de Bethléem et en l'adorant caché dans la faiblesse d'un enfant.

Passer du temps avec Lui

Continuons à rester près de lui, croyons à sa présence, pas seulement quelques instants mais longuement.

Chercher de la lumière, enrichir son intelligence, trouver de la force, des consolations, goûter Dieu... Mais au-delà de tout cela, il y a la prière gratuite, la prière de celui qui sait perdre du temps pour Dieu, qui va à la Personne.

C'est bien de cela qu'il s'agit, uniquement de cela : veiller paisiblement dans la foi. Qu'est-ce que nous pouvons lui donner ? Et bien, la fidélité à l'oraison, le petit grain de folie que comporte la fidélité à l'oraison.

Une double activité

L'oraison, c'est deux amours qui se rencontrent, c'est deux activités simultanées qui se complètent. L'une ne va pas sans l'autre.

Plus le regard de foi est simple, plus l'action de Dieu passe abondante, efficace, dans nos facultés et les transforme. L'effet de la prière, du contact avec Dieu, est cette transformation « de clarté en clarté jusqu'à la ressemblance de Dieu » (cf. 2 *Co* 3, 16).

Pour prier

Pourquoi fait-on oraison ?
Pour trouver Dieu,
pour avoir un entretien avec lui.
« *Mon Dieu, je crois que vous êtes là
et je vous aime.* »

« Regardez votre Père, allez vers lui,
vivez sous sa lumière. » Pourquoi ?
« *Parce que votre Père vous aime.
L'amour du Père vous enveloppe.* »

C'est par amour qu'il nous a créés,
c'est avec amour qu'il nous regarde à tout instant.
Il se penche sur nous.

Dieu tient à notre amour.

Pour échanger

* « La marche vers Dieu est une intériorisation progressive. » Qu'est-ce qui favorise l'intériorité dans nos vies ? Qu'est-ce qui la freine ?

* « S'entretenir avec Jésus » : comment l'Évangile fait-il partie de notre prière ?

* Quelle définition de la prière exprime le mieux notre expérience ? Laquelle choisirions-nous pour en parler ?

Pour aller plus loin

* **Dans la Bible :** *Exode* 34, 5-9 ; *Matthieu* 6, 5-13.
* **Dans le Catéchisme de l'Église catholique :** 4e partie du CEC, notamment 2663ss.
* **Un échange d'amitié :** *Je veux voir Dieu*, Éd. du Carmel, p. 57-65.
* **Les fondements de la prière :** *Au souffle de l'Esprit*, Éd. du Carmel, p. 41-89.
* **La prière nous transforme, l'oraison au quotidien :** *Au souffle de l'Esprit*, Éd. du Carmel, p. 93-183.
* **La prière de Jésus :** *Au souffle de l'Esprit*, Éd. du Carmel, p. 185-222 ; *Prier 15 jours avec le p. Marie-Eugène*, Éd. Nouvelle Cité, p. 21-51.

10.

Marie, mère de Jésus

« *Aimer Marie comme Jésus l'a aimé.* »

Marie ! Lorsqu'en 1931 le père Marie-Eugène découvre l'antique sanctuaire de Notre Dame de Vie, il reconnaît une présence vivante, qui n'a cessé de l'accompagner. Il découvre aussi une source puissante de grâce.
Dans les pensées rassemblées ici, il contemple Marie dans la lumière de Jésus.

Avec la splendeur de l'aurore

Nous saluons cette aurore qu'est l'Immaculée Conception. Le soleil n'est pas encore levé mais ce sont déjà les premières clartés qui passent en quelque sorte par-dessus les montagnes et nous arrivent, avec toute la délicatesse et la splendeur de l'aurore. Saluons donc cette merveille.

Elle est inondée de grâce, sursaturée de Dieu, « pleine de grâce ! » : le mot de l'ange est rigoureusement vrai.

Elle n'est pas seulement un vase qui contient la vie divine, elle est plongée dans l'océan qui la déborde. Rien ne résiste en elle, pas de tache, point d'ombre, pas d'îlot de résistance dans ses facultés, tout est baigné dans la lumière et l'amour. Et sa réponse est toute simple, c'est la réponse du don complet, la réponse de l'amour égal à l'amour qu'elle reçoit.

Petite dans la lumière de Dieu

Dieu va l'associer gratuitement, librement, à son œuvre de salut ; parce qu'Il l'a voulu, parce que son Amour veut se répandre.

Pourquoi Dieu s'est-il penché sur elle et l'a-t-il choisie ? Ce choix divin est tout à fait gratuit. Elle n'avait rien fait pour se préparer à cette grâce, pour mériter ce choix, pour recevoir cette sainteté incomparable.

Tout en elle est don de Dieu, elle le sait. En propre, elle n'a que petitesse et pauvreté. Et parce qu'elle se voit dans la vérité, Marie peut rester humble sous les dons de Dieu.

Elle se découvre bien petite, cette jeune fille, dans la lumière et la pureté, dans la sainteté et la puissance de Dieu.

La Vierge Marie est un fleuve puissant qui va vers l'Océan de l'Infini qu'est Dieu. Elle y va avec force, elle y va avec une grande vitesse et sans ride sur la surface ; tout est calme, paisible, tout est pur ; elle va ainsi vers Dieu.

Dieu vient à nous par Elle

Dieu s'est dissimulé, il s'est anéanti sous le manteau de chair, dans cette humanité que lui a donnée la Vierge Marie. Elle a habillé en quelque sorte le Verbe de Dieu, elle l'a habillé d'une nature humaine.

En venant au monde, Jésus portait le reflet de la beauté de la Vierge sur son front, dans la limpidité de son regard.

Elle nous a donné Dieu sous une nouvelle forme plus cachée mais plus abordable, plus douce et plus efficace.

Semblable à Jésus

Liée par son amour maternel au Christ Jésus, elle a plongé longuement son regard dans les « fontaines cristallines » du Christ : les yeux du Christ, fenêtres de son âme, qui déjà par la foi donnaient accès à la divinité. Et en regardant son Christ Jésus, en communiant à sa divinité et à son âme, à sa mission qui s'ébauchait déjà, elle est devenue semblable à lui.

Le précepte « Aimez-vous les uns les autres », comme elle l'accomplit ! Comme elle s'est donnée ! Comme son amour est pur !

Tout devient commun : offrande, sentiments, pensées, mission. Marie s'offre, prie,
travaille avec Jésus, aux mêmes intentions. Ils
marchent vers le même but. L'œuvre de Jésus
est la sienne.

Elle se dresse comme l'unique espérance

La participation de la Vierge à la Passion
sera intérieure, comme la nôtre ; c'est Geth-
sémani. C'est par cette souffrance qu'elle
engendre les hommes.

Vierge Marie, montrez-nous le Christ vivant
en Croix, ce corps que vous aimez, ce corps
que vous avez formé, que vous avez vu grandir, ce Jésus dans toute sa force, maintenant
fixé à la Croix. Nous viendrons le considérer
auprès de vous parfois. Donnez-nous votre
cœur pour compatir à sa souffrance.

C'est le soir non seulement d'une bataille
perdue mais d'un royaume détruit… Et dans ce
désastre se dresse la Sainte Vierge… « *Stabat
Mater* ». Oui, tout est détruit, abandonné. Seule
elle se dresse, comme l'unique espérance.

Qui pourra connaître la souffrance de
Jésus ? Seule la Vierge le peut car seule elle a
été au fond de l'âme du Christ.

Sur le Calvaire, la Vierge aussi se donne
elle-même.

Ô notre Mère, ô Mère de la Vie

Nous devinons que Jésus, qui va se manifester à Pierre puis aux Apôtres, va se manifester aussi à la Sainte Vierge.

C'est son fils, son Jésus ! Quelle joie pour la Sainte Vierge ! Le voici, son fils ! Et combien transformé ! Son corps est glorieux, de ses blessures jaillissent de la lumière et de la vie !

Ô Vierge Marie, vous êtes toute pure et votre regard peut soutenir l'éclat et la beauté du Christ ressuscité.

Ô notre Mère, ô Mère de la Vie, vous avez donné la vie à Jésus, et en ce jour cette vie est triomphante, elle déborde.

Cette vie du Christ, vous en êtes la Mère, vous en êtes la médiatrice. Remplissez-nous de cette vie afin que nous vous ressemblions, afin que nous aussi nous puissions la donner.

Nous vous prions Vierge Marie : sur toute l'Église, faites descendre la vie du Christ ressuscité.

Pour prier

*« Marie conservait toutes ces paroles
et les méditait dans son cœur »* (Luc 2, 15).

Vierge Marie,
entraînez-nous avec vous
dans le silence et la paix,
dans les profondeurs de Jésus,
dans les profondeurs de Dieu.
Que ce regard sur Dieu fasse grandir
notre foi en son amour.

Mère de la Vie,
je suis rassuré près de vous.
Vous étiez près de Jésus en croix, ô Marie,
et vous serez près de moi.
Soyez la gardienne
de ma fidélité et de ma patience.

Ô Marie,
donnez-nous de porter
un témoignage vivant, un témoignage réel :
que nous aussi, à votre suite,
nous devenions des sources de vie.
Que par nous, ceux que nous atteignons
puissent remonter jusqu'à la source éternelle,
qu'ils trouvent déjà en nous
un filet de cette vie,
un rayon de cette lumière.

Pour échanger

- Quel épisode de la vie de Marie nous parle personnellement de sa joie ? de sa souffrance ?

- Avons-nous l'expérience de trouver Dieu auprès d'elle « de façon plus abordable » ?

- En quoi la proximité de Marie avec Jésus nous est-elle un modèle ?

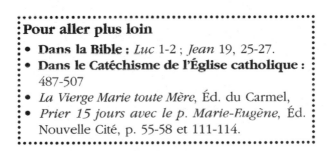

Pour aller plus loin

- **Dans la Bible :** *Luc* 1-2 ; *Jean* 19, 25-27.
- **Dans le Catéchisme de l'Église catholique :** 487-507
- *La Vierge Marie toute Mère*, Éd. du Carmel,
- *Prier 15 jours avec le p. Marie-Eugène*, Éd. Nouvelle Cité, p. 55-58 et 111-114.

11.

Marie, mère de la Vie

Marie ! Sa mission dans l'histoire : apporter la miséricorde de Dieu au plus près de nos difficultés, manifester à chacun la gratuité de l'amour et sa compassion, être mère partout où Jésus est sauveur. Le père Marie-Eugène a été le témoin de cette action étonnante, il nous fait partager son émerveillement.

L'enfant n'achète pas le lait maternel

Vous avez faim et soif de Dieu, approchez-vous de la source. Elle est abondante, vous ne l'épuiserez pas, elle vous désaltérera ; comme dit Jésus, elle vous donnera encore soif. Demandez qu'au cours de cette vie il n'y ait pas un instant où vous n'ayez faim et soif de Dieu. Et la Vierge Marie vous donnera, elle vous donnera gratuitement. Ne songez pas à lui rendre. « Venez, achetez sans argent, achetez gratuitement » (*Is* 55, 1). La Vierge Marie a de la joie à donner ainsi à ses enfants. L'enfant n'achète pas le lait maternel, nous n'achetons pas la vie de Dieu, il nous la donne. Il est heureux de la donner.

Tandis que la dévotion mariale se porte surtout vers Marie médiatrice, distributrice de
toute grâce, le regard contemplatif découvre
Marie comme mère. C'est vers Marie mère que
se porte le mouvement filial de l'âme.

Plus humaine que nous

La Vierge a été humaine, plus que nous-
mêmes sommes humains ; elle a senti plus
profondément que nous parce qu'elle était plus
sensible. Elle a souffert plus que nous ne pouvons le faire nous-mêmes. La Vierge est aussi
plus mère que toutes les mères : elle est uniquement mère.

Marie est de notre race, elle a vécu près de
nous, elle nous comprend, elle nous aime.

Toute entière à chacun

Elle ne nous a peut-être pas connus
d'avance, comme Notre-Seigneur nous
connaissait. Mais elle nous connaît maintenant
jusqu'au fond de notre être, dans nos sentiments et nos pensées.

Elle est notre Mère, elle appartient tout
entière à chacun de nous.

La sollicitude de la Vierge s'étend à tous les
détails de notre vie. Elle est maternellement
penchée sur tous les progrès de notre âme.
Donnons-lui toute notre confiance, faisons tout
passer par elle.

Mère de la grâce

L'action maternelle de Marie, pour mystérieuse qu'elle soit, n'en est pas moins réelle et profonde.

Elle a donné le Verbe enveloppé d'une humanité sans le diminuer. Elle donne aussi la grâce divine sans rien lui enlever, en y ajoutant le sceau de sa maternité.

Nous devons nous sentir enveloppés dans son amour maternel immense... Livrons-lui toute notre âme, tout notre corps, car notre mère ne fait pas de distinction entre nos besoins : la maternité spirituelle enveloppe tout. Abandonnons tout à cet amour, quelles que soient les circonstances où nous nous trouvons. Soyons enfants, véritablement, de cette Mère de Dieu : Il vient à nous par elle.

Comme on calme un enfant

Nous nous agitons, notre imagination n'est pas pacifiée, notre intelligence est orgueilleuse, nos sens insatisfaits et exigeants et nous avons beaucoup à faire pour calmer ces activités. Eh bien ! Mettons-nous sous le manteau de la Vierge, demandons-lui un rayon de sa pureté pour assouplir et apaiser nos facultés ; elle fera cela en mère, comme on calme un enfant agité par la fièvre. Demandons-lui de nous garder en paix dans le mystère et l'obscurité de Dieu.

C'est une coïncidence que l'on pourrait juger fortuite, un apaisement subit, une lumière, une rencontre, que sais-je ! un rien insignifiant en apparence mais dans lequel le cœur de l'enfant reconnaît avec certitude l'action, le sourire, le parfum et donc la présence de sa mère.

Savoir que sa mère est là et veille sur lui dans la nuit, met son cœur en fête et renouvelle ses forces et son espérance. Sa tâche maternelle terminée, Marie revient en ces profondeurs où un clair-obscur laisse à peine soupçonner sa présence.

Prolonger la tendresse de Dieu

L'exercice de la Miséricorde convient essentiellement à une mère : une mère est faite pour la faiblesse de son enfant.

Quand l'enfant a grandi et peut se suffire, la mère s'efface : c'est normal. Elle reparaîtra lorsque l'enfant devenu grand, retrouvera une faiblesse d'enfant, que cette faiblesse soit la conséquence de ses fautes ou d'un accident. Alors la mère retrouve son cœur maternel pour cet enfant dans la peine. La Vierge Marie est mère sur le plan surnaturel, avec les mêmes privilèges, la même puissance, la même tendresse, la même délicatesse qu'une mère sur le plan naturel.

Dans l'Église de Dieu, Marie va considérer comme son fief particulier les faibles et les pauvres.

Elle éclaire les nuits les plus sombres

Marie veille dans la nuit car elle est l'astre qui éclaire les nuits les plus sombres. Elle sera tendre pour son enfant jusque et surtout dans les situations les plus angoissantes et dans les détresses les plus méritées.

Lorsqu'il n'y a plus d'espoir apparent ou même réel, c'est l'heure de Marie parce qu'elle est toute mère et uniquement mère.

Pour prier

Nous vous le demandons ô Vierge Marie :
soyez mère, mère jusqu'au bout,
non pas seulement mère de la vie,
mère de l'amour,
mais mère de la miséricorde,
de cette vie qui descend même sur la misère
pour la restaurer, pour la raviver,
pour la ressusciter.

Nous vous le demandons,
ô Vierge, écoutez-nous :
vous êtes notre Mère,
nous sommes vos enfants,
nous savons que nous serons exaucés.

Pour échanger

- Avons-nous un lien personnel avec Marie ?
- Est-ce à travers un lieu, un nom ou une prière particulière ?
- Avons-nous déjà expérimenté sa présence dans des situations douloureuses ? De quelle façon se manifeste-t-elle ?
- Qu'évoque pour nous l'expression « Mère de la Vie » ?

Pour aller plus loin
- **Dans la Bible :** *Proverbes* 8 ; *Jean* 19, 25-27 ; *Actes des apôtres* 1, 14.
- **Dans le Catéchisme de l'Église catholique :** 964-970.
- *La Vierge Marie toute Mère*, Éd. du Carmel.
- *Prier 15 jours avec le p. Marie-Eugène*, Éd. Nouvelle Cité, p. 114-116.

12.

Témoigner, c'est laisser voir Dieu

« Des gens qui cherchent Dieu, il y en a partout.
Ah, si je pouvais les atteindre tous et leur parler de l'Amour infini ! »

Le doute pourrait nous traverser :
« Quelle différence entre témoignage et prosélytisme ? La laïcité est-elle compatible avec le témoignage ? Peut-on encore transmettre ? »
Pour le père Marie-Eugène, ces questions ne doivent pas occulter la réalité et l'urgence : l'appel de Dieu et l'attente du monde.

L'attente du monde

Notre monde moderne a faim et soif de bonheur. Il a faim de pain, il a plus encore faim et soif de Dieu.

Actuellement, le grand moyen de la mission, ce n'est pas la discussion : les gens n'y croient plus. Ce ne sont même pas les œuvres ! Le grand moyen, c'est le témoignage de quelqu'un qui est possédé et pris par Dieu, qui par ses attitudes, par ses paroles, laisse voir Dieu, laisse apparaître Dieu, montre ce que Dieu peut faire dans une vie.

Ils ont droit à la vérité

Ceux que nous approchons ont des droits sur nous, ils ont droit à la révélation de la vérité. Il ne faudrait pas que la difficulté à proposer le message, ou même la difficulté qu'il y a à le recevoir, nous empêche de leur donner l'essentiel : Témoigner que Dieu existe et qu'Il se donne à ceux qui Le cherchent.

Le paganisme, l'athéisme ne nous font pas fuir, ils nous appellent au contraire, parce que cet athéisme, ce paganisme, appellent un témoignage.

Comme Jésus

« Dieu a tellement aimé le monde qu'il a envoyé son Fils » (*Jn* 3, 16). Jésus est la preuve, le témoignage de l'amour de Dieu.

Collaborer avec le Christ, c'est faire comme lui : c'est donc prier, c'est donc souffrir, c'est donc mourir, et travailler aussi, comme il l'a fait dans sa vie publique.

Appelés, envoyés

Un jour, le bon Dieu nous a créés, il nous a donné la grâce et il nous a envoyés. Il nous a dit : « Va, va dans le monde accomplir la mission que je veux te confier ». Nous avons notre place dans ce dessein de Dieu, nous avons notre rôle, nous avons notre activité à déployer, notre amour à apporter.

Notre-Seigneur appelle ses apôtres pour être ses collaborateurs. Que leur demande-t-il ? Tout.

Il faut s'y mettre. Et si nous sommes déjà à la neuvième heure ou même à la onzième, il est toujours temps : le bon Dieu embauche toujours !

Une collaboration

Dieu agit mais il fait faire ; même dans ses plus grandes œuvres, il prend toujours la collaboration humaine.

Si la technique moderne standardise tout et arrive à faire de l'homme une machine, Dieu ne le fait jamais. Il nous a créés hommes, il nous a donné une liberté, une intelligence, il veut une collaboration intelligente et libre.

« Tout ce que tu lieras sur la terre sera lié dans le ciel. Tout ce que tu délieras sur la terre sera délié… » (*Mt* 16, 19) ; et c'est à un homme que Jésus dit cela ! Cela nous dit un petit peu la confiance, l'humble confiance de Dieu à l'égard de l'homme qu'il a choisi.

Nous allons travailler en équipe avec l'Esprit Saint, mais dans cette équipe c'est lui le « patron ».

Témoignage rayonnant de l'être

On convertit beaucoup plus par ce que l'on est que par ce que l'on fait ou ce que l'on dit. Il faut savoir agir, parler, mais il faut surtout être.

Il ne s'agit pas ici du nombre : si mille témoins sont des témoins médiocres, ils témoigneront peut-être parfois contre la vérité. Deux témoins qui sont des saints, témoigneront du Christ. Leur action sera toute inspirée par l'Esprit Saint et par conséquent efficace.

Même avec des défauts

Nos misères deviennent des sources de lumière quand elles sont placées sous la lumière de Dieu. Témoins le bon larron, Marie-Madeleine... Pourquoi ? Parce que ces misères appellent la miséricorde de Dieu.

Et parce que ces misères, baignées dans la lumière de Dieu, peuvent s'en remplir, s'y purifier, elles peuvent m'aider à témoigner à ma façon de la lumière de Dieu.

On peut avoir parfois un caractère un peu difficile et quelques défauts, et porter un grand, un large témoignage de charité. Regardez les saints qui avaient gardé leurs défauts de tempérament, leur rudesse et qui au-delà de tout cela, rendaient un témoignage d'amour : on les sentait pleins d'amour, on les sentait « diffuseurs d'amour ».

Humblement

Au temps de Notre-Seigneur, si on avait demandé qui était son plus grand collaborateur, on aurait entendu : « C'est Pierre... c'est Jacques... c'est Jean ». En réalité, c'était la Vierge Marie à Nazareth qui était la plus grande coopératrice de Notre Seigneur et on ne le voyait pas. Aujourd'hui c'est toujours la même obscurité, la même pénombre qui dissimule ici-bas la véritable collaboration.

Au début on attache beaucoup de prix, beaucoup de valeur au don de soi. Quel événement mon Dieu ! Le monde va changer puisque je me donne ! Je vais apporter ma valeur, je vais apporter mes qualités, mon activité et mon expérience... ou ma jeunesse ! La Sainte Vierge, elle, répond : « Il s'est penché sur son humble servante » (*Lc* 1.48).

Nous devons construire en priant.
Si nous ne savons pas prier,
nous ferons un édifice
avec des pierres sans ciment.
Pourquoi ?
Parce que c'est l'Esprit Saint qui construit.
Dieu ne fait la construction de l'Église
que parce que nous prions.
Il s'est soumis à cette loi.

L'Esprit Saint sera toujours là.
Il sera en vous pour vous inspirer,
Il sera en vous pour vous fortifier,
car il est le Paraclet,
Il sera en vous pour vous consoler,
Il sera en vous pour que vous ne trébuchiez pas.
Il sera la force de l'Église.

Pour échanger

* Qu'évoque spontanément pour nous le mot « témoignage » : quelque chose à faire ? Une attitude à avoir ?

* Quels ont été les témoins de l'essentiel dans nos vies ? L'ont-ils su ? À quoi avons-nous été sensibles ?

* Quelles pistes nous ouvre le père Marie-Eugène pour témoigner de Dieu dans nos milieux de vie ?

Pour aller plus loin

* **Dans la Bible :** *Matthieu* 10 ; *Jean* 1, 19-39 ; *Jean* 4, 1-42.

* **Dans le Catéchisme de l'Église catholique :** 696, 897 s., 904, 995, 1816, 1048, 1709, 2087.

* **L'apôtre parfait :** *Au souffle de l'Esprit, prière et action*, Éd. du Carmel, p. 329-359.

* **Envoyés par l'Esprit Saint :** *Prier 15 jours avec le p. Marie-Eugène*, Éd. Nouvelle Cité, p. 104-109.

13.

Thérèse de l'Enfant-Jésus : une amitié foudroyante

Pour ma part, ce qui me frappe le plus, c'est la vision prophétique du jeune Carme qui n'hésitait pas à écrire dès 1923 : « La mission de la petite Bienheureuse est une effusion de l'Amour dans les âmes sous la forme que le Bon Dieu désire pour notre époque ». Avec un instinct spirituel très sûr, il avait « vu » la place exceptionnelle de Thérèse dans l'histoire.

Mgr Guy Gaucher

Oser la miséricorde

Dieu est miséricorde. C'est la vérité proclamée par sainte Thérèse de l'Enfant-Jésus, cette théologienne transcendante de la vie de Dieu, de la nature de Dieu, de la Trinité Sainte. Elle a senti justement cette joie immense que Dieu a de se donner. Dieu est amour : il a besoin de se donner ; sa joie est à la mesure de son amour.

La miséricorde a pour caractéristique de dépasser toute loi, toute mesure, et de n'obéir qu'à sa propre liberté, de donner selon la mesure choisie par l'amour lui-même.

Sainte Thérèse de l'Enfant-Jésus a saisi la loi de la miséricorde.

La source : le contact avec Dieu

On a dit que le point spécial de la doctrine de sainte Thérèse de l'Enfant-Jésus, c'était les « petits sacrifices ». Excusez-moi, c'est de la blague ! C'est l'intimité avec Dieu qui est à la base de sa vie.

Elle ne lâche pas le bon Dieu. Elle est toujours avec lui...

Pourquoi est-elle si puissante ? C'est parce qu'elle s'est présentée devant Dieu dans la pauvreté.

Dieu nous envoie une enfant

À notre civilisation raffinée et blasée qui a perdu le sens de l'infini et qui en souffre, Dieu a envoyé une enfant qui redit le message éternel de son amour à savoir

qu'il nous a créés par amour,

que son amour reste vivant,

qu'il est plus ardent encore à cause de nos abandons,

qu'il attend que nous l'aimions comme des enfants, que nous nous laissions aimer comme de tout petits enfants.

Un petit oiseau devant le soleil

Entre l'oiseau et Dieu, il y a des nuages, des brouillards extérieurs. Que va faire Thérèse ? Elle va dire : « *Je crois que le bon Dieu est toujours là. Les obstacles, ce n'est pas lui ; ils sont entre lui et moi, mais ce n'est pas lui ; lui brille toujours* ».

La lumière de Dieu rien ne peut l'obscurcir. Il existe, il est vivant, sa vie est éternelle... l'amour qu'il me donne est éternel, lui n'est pas atteint par les nuages et les brouillards, il est toujours là. Regarder toujours... Si la lumière n'arrive pas, je regarde d'un regard de foi qui devient de plus en plus pénétrant à cause de l'obstacle. Ce regard perce l'obstacle...

Ardente dans la fatigue

Elle ne dit pas : « *je n'ai rien, je vais dormir* ». Non, elle regarde.

Son attitude de contemplation est faite d'un regard obstinément fixé sur Dieu à travers toutes les impuissances et les brouillards, malgré les faiblesses et même le sommeil qui viennent la gêner ou l'interrompre.

Quelle chance pour nous d'avoir une sainte canonisée qui a dormi à l'oraison !

La vie ordinaire avec amour

Cette petite sœur n'a rien fait qui vaille la peine d'être raconté, mais tout ce qu'elle a fait (peu de choses), elle l'a fait en perfection.

Que je meure martyr ou que je meure dans mon lit, que je fasse de grandes ou de petites choses, cela n'aura de valeur que suivant la perfection de l'amour qui l'inspire.

La faiblesse : un tremplin

À ceux qui, dans l'oraison traversent l'obscurité de la foi, et qui seraient tentés de se troubler, sainte Thérèse de l'Enfant-Jésus dit : « *Tenez-vous paisibles en cette obscurité, ne faites rien d'autre que d'avoir confiance en Dieu. Appuyez-vous d'une part sur l'infinie Miséricorde, d'autre part sur votre misère, et vous parviendrez au sommet comme j'y suis parvenue moi-même* ».

Il y a quelque chose de sublime dans cette utilisation de l'échec pour faire triompher la miséricorde. Le secret que sainte Thérèse de l'Enfant-Jésus a mis en lumière, c'est l'utilisation de la faiblesse.

« J'ai compris la Miséricorde.
Sainte Thérèse en a senti la douceur,
moi, j'en sens la puissance. »
Le père Marie Eugène, 12 janvier 1967

Faire connaître l'amour partout

Sainte Thérèse de l'Enfant-Jésus veut gagner « une légion de petites âmes » pour faire connaître l'Amour, et cela pas seulement dans le monde des monastères et des chrétiens d'élite, mais partout, dans les faubourgs et sur les boulevards, partout où il y a des âmes que Dieu appelle à son intimité.

> « Parmi tous ceux que j'ai connus ici-bas, j'aime un certain père Marie Eugène, que vous connaissez bien, et qui ne craint pas de décharger les autres de leurs fardeaux trop lourds pour les prendre à sa charge... ! »
>
> Lettre de Sœur Geneviève, (Céline, sœur de Thérèse) au père Marie-Eugène, octobre 1955.

Le père Marie-Eugène, Thérèse de Lisieux et son carmel

1908 : Henri Grialou découvre Thérèse par un « petit livre de rien du tout » : il a 13 ans.

1927, Mère Agnès, sœur aînée de Thérèse et prieure du carmel de Lisieux, invite le père Marie-Eugène à prêcher sur saint Jean de la Croix

1947 : Le père Marie-Eugène encourage Mère Agnès à accepter la publication des textes authentiques de Thérèse.

Au 1er congrès international thérésien à Paris, il fait connaître pour la première fois des passages importants, inédits, du *Manuscrit B*.

1953 : De Rome, où il exerce d'importantes responsabilités, il contribue efficacement à lancer le chantier de l'édition intégrale de *l'Histoire d'une âme*, parue en 1956.

Pour échanger

* Avions-nous déjà entendu parler de Thérèse de Lisieux auparavant ? Avons-nous expérimenté sa protection ?
* Quelles nouveautés le père Marie-Eugène voit-il dans l'enseignement de Thérèse ?
* Quelle pensée pourrait nous soutenir aujourd'hui ?

Pour aller plus loin

* P. Marie-Eugène de l'E.-J., *Ton amour a grandi avec moi*, Éd. du Carmel.
* L. Menvielle, *Thérèse docteur racontée par le P. Marie-Eugène*, Éd. du Carmel/Parole et Silence.

Traverser la souffrance

Tant de souffrance ! Et comme il est difficile d'en parler ! Le père Marie-Eugène en a l'expérience. Le regard fixé sur Jésus, il nous accompagne sur ces chemins douloureux et si souvent déconcertants.

Aucune souffrance nc laissait Jésus indifférent

Notre Seigneur nc côtoyait pas une misère, une souffrance sans la soulager.

Aucune souffrance, aucun besoin des hommes, ne laissait Notre-Seigneur indifférent.

Jésus se donne le droit de dormir quelquefois dans la barque, mais en dormant il veille et il interviendra certainement au moment nécessaire pour vaincre, avec nous et par nous. Demandons-lui d'avoir cette confiance.

Accourons à Notre Seigneur, Il est le Sauveur.

Amour et souffrance sont liés

Nous aspirons au bonheur, nous sommes faits pour lui. Nous sentons parfois sa douceur, mais pas d'une façon habituelle. L'amour nous apporte de la souffrance : c'est notre condition ici-bas.

Nous pouvons prier, enseigner, porter un témoignage, mais nous ne donnerons de l'amour que par la blessure de notre souffrance portée amoureusement, avec patience, comme Jésus.

La grande réalité, c'est l'Amour, il demeure toujours, mais ici-bas amour et souffrance ne peuvent être séparés.

Toujours faibles devant la Croix

On ne gravit pas le Calvaire en héros, comme le vaillant qui a gagné la course. Le saint n'est pas un héros : c'est un homme rempli de Dieu et de la force de Dieu.

Devant la Croix, nous sommes toujours faibles.

Il y a des objections de tout notre être contre la souffrance annoncée. Notre pauvre nature humaine, notre foi ont besoin d'être soutenues. Disons à Notre-Seigneur : « *Montrez-nous la clarté lointaine de la fin du tunnel, que nous marchions vers ce point lumineux qui brille dans l'obscurité.* »

Jésus vainqueur de la tempête et de la mort

Parfois les forces de l'enfer paraissent dominer, comme la tempête sur le lac de Tibériade. Mais que sont-elles devant la force de Dieu, devant la force qui est dans le Christ Jésus, le Verbe de Dieu ?

Lorsque nous sentons notre pauvreté et la force de l'ennemi, notre confiance en la toute puissance du Christ Jésus doit s'élever au-dessus de tout cela. Il a souffert, il est mort, mais il ne meurt plus. Il vit d'une vie éternelle. Cette vie a triomphé en lui. Elle triomphera en nous.

Paradoxe

Quand Dieu est là, sa présence est marquée par l'obscurité. Que cette vérité soit profondément inscrite en nous afin que nous ne soyons pas pris de découragement.

Cet alliage étrange est comme le signe du divin ici-bas : joie et souffrance ; lumière et obscurité ; sagesse de Dieu et sagesse humaine ; péché de l'homme et pureté de Dieu… Celui qui avance vers Dieu rencontre cela à chaque pas et de plus en plus profondément.

Sortir de soi

Ne cultivez pas vos impressions, faites un acte de foi. On dit : « *Ce n'est pas possible* ». Essayez toujours, vous verrez que c'est très possible et même facile.

Sortez de vous par des actes de foi, d'espérance et de charité.

Cacher sa souffrance pour ne pas la faire porter aux autres est un acte de charité délicat.

C'est la charité qui fait que la souffrance des saints déborde en torrents d'amour.

Attendre en espérant toujours

L'aube ne vient pas avant qu'ait passé la nuit.

Nous sentons ce désarroi intérieur qui vient de l'expérience de notre faiblesse et de l'expérience des forces contraires qui sont en nous et autour de nous. Que tout cela nous serve à faire des actes de confiance plus grands, à nous jeter, à nous plonger dans cette puissance du Christ, dans cette miséricorde qui est toujours à notre disposition.

Surtout, il faut attendre en espérant toujours.

La miséricorde nous gardera

Qu'il y ait du brouillard et de la tempête, ou au contraire une lumière très douce, nous sommes toujours dans la miséricorde. Une fois que nous avons été pris par elle, elle ne nous lâche plus. Elle nous gardera, à condition que nous sachions la reconnaître par une humilité constante, une pauvreté qui s'accepte, et une reconnaissance qui sait éclater en toute circonstance.

Vous n'êtes pas dans le monde pour voir le mal, pour prendre conscience de son énormité, ni même à proprement parler pour lutter contre le mal et le supprimer.

Vous êtes dans le monde pour porter témoignage de Dieu, de la vie de Dieu, de son existence et de sa force, et devenir ainsi une joie pour Dieu, une lumière pour ceux qui veulent rester fidèles.

Pour remplir cette mission, vous avez besoin de vous plonger longuement en Dieu car seul l'envahissement de Dieu et de sa vie en vous peut vous garder fidèle et pure et vous faire porter le témoignage qui est dans votre vocation.

Marchez donc vaillamment.

Lettre à un membre
de Notre-Dame de Vie, 23 février 1961

Comme je comprends saint Paul : c'est quand on est faible qu'on est fort ! [...]

Si on parle de moi, il faudra dire que je suis pauvre, simple et que j'ai souffert.

Le 24 février 1967, un mois avant sa mort

« Jésus sortit, portant lui-même sa croix. »

(Jn 19, 17.)

Ô Jésus,
je vous adore dans votre faiblesse.
La profondeur de votre souffrance
nous montre le mystère de la Croix.
Vous êtes le Dieu fort
et vous gisez à terre.

Ô Jésus, je vous aime ainsi,
je voudrais vous aider à vous relever.
Vous êtes tombé pour moi,
vous me découvrez ainsi
le mystère de la Croix :
mystère de faiblesse humaine
et de force divine.

Vierge Marie qui êtes là,
vous comprenez, vous,
vous avez expérimenté l'angoisse,
le silence du ciel, l'abandon de tous.
Maternellement,
prenez-moi près de vous.
Que nous sachions souffrir
dans une espérance toujours vivante,
comme vous.

Pour échanger

- Quelles attitudes de Jésus devant la souffrance le père Marie-Eugène relève-t-il ?

- « Amour et souffrance sont liés » : quel écho cette phrase trouve-t-elle dans notre expérience ?

- Quel encouragement nous rejoint personnellement parmi ces citations ?

Pour aller plus loin

- **Dans la Bible :** *Psaume* 25, 17-22 ; *Isaïe* 53 ; *Matthieu* 26, 46 ; *Jean* 15, 20-27 ; *Jean* 16, 29-33 ; *Romains* 8, 31-39.
- **Dans le Catéchisme de l'Église catholique :** 302-314, 536, 618, 964, 1500-1505.
- **Conversion heureuse et douloureuse :** *Je veux voir Dieu*, Éd. du Carmel, p. 160, 300, 511, 543, 758, 831, 923, 1053.
- **Jésus souffrant et proche :** *Je veux voir Dieu*, Éd. du Carmel, p. 150, 185, 880, 1034.
- **Suivre Jésus :** *Jean de la Croix, présence de lumière*, Éd. du Carmel, p. 285 ; *Les premiers pas de l'Enfant-Dieu*, Éd. du Carmel, p. 77 ; *Au souffle de l'Esprit*, Éd. du Carmel, p. 317.

15.

Dans le Christ est l'Église

« *Vous êtes la vigne, Jésus,
faites que je sois un rameau.* »

Le père Marie-Eugène a aimé l'Église, d'un amour réaliste, douloureux parfois, toujours reconnaissant. Il a connu les grands bouleversements du XXe siècle et s'est engagé complètement pour travailler et servir. Son regard, que les textes proposés reflètent, peut renouveler le nôtre, nourrir notre réflexion et soutenir notre engagement.

Avancer dans l'amour de l'Église

L'amour qui nous fait crier vers Dieu « Père » et celui qui nous fait aimer l'Église, c'est le même.

C'est un fait d'expérience que ceux qui avancent dans l'amour de Dieu, avancent aussi dans l'amour de l'Église.

Aimons l'Église, toute l'Église, même dans ce qu'elle a d'extérieur. Nous savons qu'elle a un corps avec des qualités et des imperfections. Le mal s'étale parce qu'il est orgueilleux et le bien se cache parce qu'il est humble. S'il y a scandale, on en parle et on oublie le reste. Donc aimons tout ce qui est de l'Église, même s'il y a des défauts. Nous savons que ça n'est pas éternel, Dieu s'en sert comme instrument et tout cela est capable de recevoir la grâce. Quand on l'a compris, on se porte avec amour vers toute l'Église et quand on voit le péché, l'imperfection, on a une réaction d'amour. L'Église est divine, elle est aussi humaine. Mélange étrange, mystérieux.

L'Église est le champ de Dieu

Dieu veille sur les âmes, sur l'Église, comme le laboureur sur son champ.

Nous sommes le champ de Dieu. Dieu se penche sur nous. Dans cette certitude il y a de quoi repousser toutes les tentations relatives à l'abandon de Dieu, à la solitude de l'âme. Dieu s'intéresse à nous.

La sève de l'amour

La vigne c'est l'Église et elle est gardée par un vigneron qui est le Père. Toute sa tendresse y préside.

La loi qui préside à la vie de l'Église, la sève de la vigne, c'est l'amour. La vie de l'Église est charité, lien entre les membres.

L'Église est la grande manifestation de la miséricorde de Dieu, la divine folie de la miséricorde.

Un peuple habité par l'Esprit Saint

L'Esprit Saint est le moteur, le soleil, la lumière et la force de l'Église. C'est lui qui l'assiste, la développe et la construit.

Une même vie circule dans l'Église · la vie de l'Esprit Saint.

L'Esprit Saint habite dans son peuple, dans l'Église tout entière, en chacun de nous.

L'Église a besoin de l'Esprit Saint, de cet Esprit Saint qui est son âme, qui est son ami. Nous aussi, nous avons besoin de lui.

Le Christ nous unit à lui

Le Christ est la vigne, nous sommes des sarments, d'où la nécessité vitale d'être unis à Lui : là est toute la vie spirituelle.

Nous recevons la vie du Christ et lui-même prend ce que nous sommes : l'influence est mutuelle.

Il nous unit tellement à lui que nous constituons avec lui une réalité nouvelle : l'Église.

L'Eucharistie fait l'Église, elle réalise progressivement son unité, elle fait notre union au Christ.

Quand saint Paul dit que le Christ Jésus c'est l'Église, il n'est pas un professeur dans une chaire mais un contemplatif.

Nous y trouverons le sens de notre vie

Toute vie spirituelle est une vie dans l'Église.

Que l'Église devienne pour nous un objet de contemplation, une contemplation pas seulement spéculative mais pratique. Nous y trouverons le sens de notre vie, en même temps que la lumière et la force pour agir.

Les choses extraordinaires nous les ferons quand Dieu voudra, mais c'est l'ordinaire qui est notre vie, c'est là que nous devons nous sanctifier et servir l'Église.

Dieu attend beaucoup de nous

Dieu est un architecte merveilleux qui taille des pierres pour qu'elles fassent quelque chose dans l'Église.

Il y a du travail à la vigne. Nous pouvons nous appliquer cela. Le maître, c'est Dieu, il va chercher des ouvriers parce qu'il y a du travail à sa vigne, le Royaume de Dieu, l'Église.

Ne songeons pas à une sainteté personnelle et individuelle, à quelque chose qui nous mettrait en relation avec Dieu pour notre petit compte. Nous sommes choisis pour faire quelque chose dans l'Église.

Dieu attend beaucoup des hommes.

Nous pourrions dire : le bon Dieu s'arrangera tout seul. Non, il ne le fera pas. Il a laissé le travail à ses ouvriers, à ses Apôtres. C'est l'Église qui doit réaliser l'œuvre de Dieu.

L'Église a une mère

Avec l'Esprit Saint, la Vierge Marie construit l'Église comme elle a construit l'humanité du Christ. Maternité divine, maternité de grâce : nous sommes obligés de relier l'une à l'autre.

Le cœur de Marie est toujours vivant et il bat toujours avec l'Église.

Chaque fois que l'Église est menacée, se trouve dans la faiblesse, elle se tourne vers la Mère, comme d'instinct.

Le père Marie-Eugène et le Concile Vatican II :

Quel est le but du Concile ? Rajeunir l'Église, la faire renaître en quelque sorte dans la lumière et dans l'action de l'Esprit. En même temps, elle veut s'ouvrir aux besoins actuels de notre temps.

Il nous commentait les documents au fur et à mesure de leur sortie. Pour lui c'était « l'Église en marche ». Il était heureux pour Elle, il désirait marcher avec Elle, entrer à fond dans sa pensée. Il était convaincu que l'Esprit Saint animait le Concile.

J. de Lamezan, membre de Notre-Dame de Vie

Pour prier

Nous vous adorons, Jésus,
présent dans le tabernacle.
Vous nous avez donné rendez-vous,
nous voici pour prier avec vous.

Permettez-nous de nous approcher de vous :
nous désirons vous voir prier,
pénétrer dans votre prière, dans vos intentions,
pour prier avec vous, pour prier comme vous.

Nous faisons partie de votre Église ;
prenez-nous auprès de vous,
découvrez-nous votre âme.

Nous voulons être sauveurs avec vous,
comme vous, par la même voie,
par les mêmes moyens.

Nous voulons entrer
dans les profondeurs de l'Église
où se réalise ce mystère,
nous voulons être vous, ô Jésus, dans l'Église.

Faites-nous lumière sur le chandelier
ou brasier sous le boisseau,
que nous importe,
pourvu que nous éclairions
et embrasions à la place
que vous nous avez fixée.

Pour échanger

- Quand prenons-nous conscience que nous faisons partie de l'Église ? Quels événements de sa vie nous touchent particulièrement ?
- Aimer l'Église… Quand cela nous est-il facile ? Quand est-ce plus difficile ?
- En quoi servons-nous l'Église dans « l'ordinaire de notre vie » ?

Pour aller plus loin

- **Dans la Bible :** *Actes des Apôtres* ; *Jean*, 15, 17 ; *Éphésiens* 1.
- **Dans le Catéchisme de l'Église catholique :** 763-766, 787-796, 823-829.
- **Le mystère de l'Église :** *Je veux voir Dieu*, Éd. du Carmel, p. 653 s.
- **En marche vers la sainteté :** *Je veux voir Dieu*, Éd. du Carmel, p. 1028-1053.

16. Une foi éblouie

Est-il juste de nier ce que l'on ne voit pas ? Conscient des bouleversements du monde et des doutes qui l'assaillent, le père Marie-Eugène va au plus profond : Dieu lui-même dont Jésus nous dévoile le visage. Il met en lumière la puissance de la foi qui, dans l'obscurité, atteint Dieu.

Le cri du monde

Actuellement, de quoi a besoin notre monde, devant cette vague d'athéisme qui déferle sur lui et menace non seulement notre civilisation mais son âme, qui menace la vie même et l'éloigne de Dieu ? Il lui manque le témoignage de Dieu ! Il faut que Dieu lui soit rendu vivant par le débordement de son amour. Il a besoin d'une certaine expérience de Dieu.

Dieu a toujours été, Il n'a pas eu de commencement. Dieu est le principe de tout, et notre foi nous révèle quelque chose de lui. Nous savons que ce Dieu éternel, esprit infini, c'est l'Amour.

Inlassablement, nous pencher sur le Mystère de Dieu ; c'est là qu'est le secret de la connaissance de Dieu, le secret aussi de la transformation que Dieu doit faire dans nos âmes. En nous portant vers lui, ouvrons les yeux. Lesquels ? Les yeux de la foi.

Le sens du mystère

Devant Dieu nous sommes projetés dans l'Infini.

La plus haute connaissance que nous puissions avoir de Dieu c'est de comprendre qu'Il est au-dessus de tout savoir et de toute intelligence.

Le bon Dieu est très bon, mais il est Dieu ! Acquérons ce sens de Dieu, ce sens de l'infini, ce sens du transcendant.

Demander la lumière à Jésus

C'est à Jésus que nous devons demander la lumière pratique et vivante sur ces profondeurs de Dieu.

Demandons à Jésus de nous entraîner auprès de lui. Nous avons la grâce, pour entrer en Dieu. Nous en avons le moyen : la foi.

Que Jésus nous apprenne la puissance, l'efficacité de notre foi, qu'il nous apprenne à croire à notre foi.

Le secret : Dieu est Amour

C'est le même mot qui, de tout temps, a résumé l'expérience de ceux qui ont le plus approché Dieu et ont senti le dynamisme ardent de l'Être infini se penchant sur la misère humaine : « Dieu est feu consumant », « Dieu est Amour » ont dit Moïse, saint Jean et saint Paul.

Dieu est source jaillissante dont les flots montent sans cesse, Dieu est un soleil infini. Dieu est Amour : voilà le secret.

Le mystique, c'est l'explorateur de l'Infini, c'est le pèlerin de l'Absolu.

Le soleil nous aveugle

Nous sommes comme aveuglés par cet infini qui est en Dieu mais nous savons que dans cet infini, il y a de l'amour, il n'y a que de l'amour.

La lumière du soleil éclipse toutes les autres lumières ; son éclat éblouit parce qu'il est excessif. Ainsi en est-il de la foi.

La foi nous donne des certitudes absolues ; elle est certaine, mais elle est obscure.

Nous sommes deux

À une enfant qui priait chaque jour cinq minutes, je demandais :

— « Qu'est-ce que vous faites pendant votre oraison ? Le bon Dieu vous dit quelque chose ?

— Ah ! non, il ne dit rien.

— Alors vous lui parlez ?

— Non, je ne lui parle pas.

— Et vous ne vous ennuyez pas ?

— Non.

— Comment se fait-il que vous, une petite fille, vous fassiez ça tous les jours et que vous y teniez ?

— Mon Père, c'est que nous sommes deux ! »

Dans ce mystère, elle avait senti que ce n'était pas le rien, le vide, et elle y allait parce qu'il y avait quelqu'un. Elle avait trouvé Dieu, c'est bien mieux qu'une lumière !

Dieu tressaille

Dans l'Évangile, presque à tout instant, nous voyons l'effet de la foi. Le centurion provoque l'enthousiasme de Jésus : « Je n'ai jamais rencontré une telle foi en Israël… »

Cet enthousiasme, ce tressaillement que nous sentons dans le Christ, nous le produisons en Dieu lui-même chaque fois que nous le touchons avec foi, avec une foi ardente.

La foi prend un contact véritable avec Dieu. Lorsqu'elle est fixée en lui, nous recevons la vie de Dieu, c'est un débordement de Dieu qui arrive en tout notre être.

Une affaire de bouton électrique

L'obscurité ne crée pas de distance.

On dira : « C'est obscur, je n'y crois pas ». On peut le dire mais ce n'est pas logique. C'est comme si on disait : « Je ne vois pas où je suis, c'est que je n'y suis pas ». Quand vous êtes la nuit dans votre chambre, vous ne la voyez pas et cependant vous y êtes. Être quelque part et ne pas le voir, cela fait deux choses.

Quelle différence y a-t-il entre la prise de contact par la foi et la vision du ciel ? C'est une question de bouton électrique ; au ciel on tournera le bouton et on verra. Je ne serai pas davantage avec Dieu mais j'aurai le moyen de saisir ce que je possède déjà par la foi.

Voir Dieu

Seul cet infini, cet amour infini qui est en Dieu peut nourrir l'homme, peut le satisfaire pendant toute l'éternité.

La Trinité Sainte est notre famille. Elle est le lieu où nous serons rassemblés. Notre ciel, c'est de voir Dieu, c'est d'être dans la Trinité Sainte comme enfants.

Voir Dieu fera notre bonheur.

Quand nous regardons Dieu,
nous sommes éblouis par la lumière qui en jaillit
et nous adorons…

Jésus nous éclaire :
il nous dit que Dieu est Père, son Père.
Oh ! avec quel amour il en parle, Jésus !
Quel est ce Père ?
C'est Dieu en tant qu'origine de tout.
C'est le Père de miséricorde,
le Père de lumière, la Source de tout.
C'est l'Infini vivant, le buisson ardent
dont la flamme crépite
et dont toute la lumière émane :
voilà le Père, c'est l'unique bien.

L'amour nous saisit,
nous enveloppe mais nous dépasse.

Pour échanger

- ◆ Quelles circonstances (lieux, événements, rencontres…) nous font prendre conscience de la grandeur de Dieu ?
- ◆ Est-il facile de parler de Dieu Trinité ?
- ◆ Sur quoi porte pour nous « l'obscurité de la foi » ?
- ◆ Quelle(s) découverte(s) faisons-nous à la lecture de ces textes ?

Pour aller plus loin

- **Dans la Bible :** *Genèse* 1, 26-27 ; *Psaume* 8 ; *Jean* 8, 31s ; *Jean* 17 ; *Romains* 8, 14-17.
- **Dans le Catéchisme de l'Église catholique :** 763-766, 787-796, 823-829.
- **Dieu en son mystère :** *Les premiers pas de l'Enfant-Dieu.* Éd. du Carmel, p. 63-71 ; *Au souffle de l'Esprit, prière et action.* Éd. du Carmel, p. 41-68.
- **La grâce :** *Au souffle de l'Esprit, prière et action.* Éd. du Carmel, p. 69-89 ; *Je veux voir Dieu,* Éd. du Carmel, p. 26-38.
- **La foi :** *Présence de lumière,* p. 167-191.

17. Dieu nous crée libres

Libres, égaux et fraternels ? Oui, tout de suite, mais comment ? En prenant le chemin ouvert par Jésus qui libère nos désirs de liberté et délie les chaînes de notre cœur. Le père Marie-Eugène mise sur Dieu qui nous crée à son image : libres.

Quelle est la grande réalité ?

Dieu, c'est l'Infini, l'Éternel, le Transcendant, qui n'a pas eu de commencement et qui n'aura jamais de fin. Il est au-delà du temps, en dehors du temps. Il est dans l'éternité. Et cependant, le temps lui-même ne peut se situer, prendre sa véritable valeur, que par rapport à l'éternité de Dieu.

Quelle est la grande réalité ? Évidemment, c'est Dieu !

Notre Dieu vit dans la ténèbre et la lumière transcendante de sa Sagesse éblouit notre pauvre regard. Quelle est notre part, quelle est notre place en son dessein ? Lui seul le sait. Cette part que nous devons réaliser, cette place que nous devons occuper, c'est là qu'est notre perfection.

La liberté divine

Dieu fait ce qu'il veut, comme il veut, pas seulement dans l'ensemble mais dans les détails.

Il faut arriver à aimer ce mystère. Le choix de Dieu est mystérieux. Si Dieu le fait ainsi, c'est pour le faire plus grand, plus beau que nous ne saurions le faire avec notre intelligence.

Se mettre à la disposition de la liberté de l'Esprit Saint, la respecter.

La plus belle image de Dieu

Le mystère de l'homme est lié au mystère de Dieu lui-même.

L'homme est, par excellence, l'être cher à Dieu. Voilà notre richesse : Dieu nous a aimés, il nous a créés par amour et c'est parce qu'il nous aime qu'il veut nous rappeler à lui.

En nous il y a le « moi » qui nous fait semblables à Dieu.
Dieu en faisant le moi humain, en lui donnant l'intelligence, la volonté libre, a voulu faire la plus belle image de ce qu'il est lui-même.

Dieu a risqué gros

En nous créant libres, le bon Dieu a « risqué gros », n'est-ce pas ? On l'a bien vu, avec Adam et Ève d'abord, puis avec tous les gens qui ont commis des péchés.

Même le péché de l'homme n'a pas amené Dieu à nous enlever notre liberté.

Il aurait été plus simple de faire avec l'homme comme avec un enfant qui s'est coupé avec son couteau : « Mon petit ami, puisque tu ne sais pas t'en servir, je le mets dans ma poche. » Dieu aurait pu faire ainsi de notre liberté, Il ne l'a pas fait. Pourquoi ? Parce que Dieu veut l'hommage de notre liberté, de notre amour libre.

Il n'y a pas de créature humaine qui puisse respecter nos facultés humaines, notre intelligence et notre volonté libre comme Dieu le fait lui-même.

Libres pour aimer

Le chant merveilleux de la nature inanimée, de la nature vivante conduite par l'instinct… tout cela n'est rien en comparaison de l'hommage d'une créature libre !

Pourquoi l'acte d'amour d'une créature libre est-il ainsi apprécié par Dieu ? Parce qu'il est libre, parce qu'il jaillit d'une personne.

Usons de notre liberté, de notre volonté libre pour faire le don complet de nous-mêmes à Dieu.

La joie du don

Quand je me donne, Dieu me saisit encore plus fort. Je suis à lui, il m'a créé pour cela.

Ce don fait tressaillir Dieu, aussi répond-il par un amour toujours plus agissant et unissant.

La joie de l'amour est à la mesure du don qu'il fait.

Pour progresser dans nos âmes, Dieu attend que nous ayons ouvert la barrière par notre consentement.

Avec un grain de folie

Rares sont ceux qui se donnent de façon indéterminée, rares les âmes qui ne conçoivent pas la vie spirituelle comme une affaire commerciale dans laquelle Dieu fournit les capitaux et l'âme dirige l'entreprise !

Il faut que Dieu puisse nous demander n'importe quoi. Jamais il ne le fera au-dessus de nos forces.

Sainte Thérèse dit que si l'on veut suivre l'appel de Dieu, il faut un grain de folie. Souvent il en faut plus d'un : il en faut une bonne dose ! Ce grain de folie, c'est pour nous adapter à la pensée de Dieu, non seulement quand il y a une grande affaire, mais dans la vie journalière.

Accrochés donc libres

Durant toute l'éternité, avec le bon Dieu, nous serons libres. Eh oui ! Il respectera notre liberté, notre volonté libre ; il ne la détruira pas. Nous aurons beau être accrochés à Dieu, notre liberté sera encore plus grande.

Merveille de la sagesse de Dieu ! Si subtile, si délicate qu'elle respecte la liberté humaine.

Associés à l'Amour

Dieu est disposé à courir tous les risques plutôt que de se passer de nous.

Nous sommes associés réellement à Dieu, à l'amour qui nous a saisis. L'activité de l'amour devient la nôtre, ses desseins éternels deviennent les nôtres.

Nous serons entraînés dans l'éternité pour y rester unis à Dieu et en même temps, pour être ses collaborateurs pour les œuvres qu'il voudra pour nous pendant toute l'éternité.

Pour prier

Il n'est pas de prière plus belle que celle-ci :
« *Mon Dieu, je me donne pour votre mystère,
pour vos desseins sur moi. Que voulez-vous de moi ?
Prenez-moi, je suis à vous…*
Je fais ce don à la mesure de ma charité.
Il n'est pas parfait,
il ne le sera que lorsque vous m'aurez saisi,
ô mon Dieu, quand, sans m'enlever ma liberté,
vous m'aurez pris.
En attendant, je continue de me donner
comme me le permettent mon orgueil,
les quelques attaches à moi-même. »

Ce don doit constituer le fond de notre prière.
Il n'est pas de prière plus élevée.

Pour échanger

- Est-il facile de parler de Dieu ?
  Pourquoi ?
- « Accrochés donc libres » : comment
  comprenons-nous ce paradoxe ?
- Avons-nous conscience du respect de
  Dieu pour notre liberté ?
- Quelle(s) découverte(s) faisons-nous à la
  lecture de ces textes ?

Pour aller plus loin

- **Dans la Bible :** *Genèse* 1, 26-27 ;
  Psaume 8 ; *Jean* 8, 31s ; *Jean* 17 ; *Lettre aux*
  Romains 8, 14-17.
- **Dans le Catéchisme de l'Église**
  catholique : 374-379, 396ss, 1701-1709, 1730-
  1742, 1828.
- **La liberté :** *Marie Pila, une puissance*
  d'amour non asservie, C. Escallier, p. 163-177
- **Liberté et engagement :** *Prier 15 jours avec*
  le p. Marie-Eugène, Éd. Nouvelle Cité, p. 66-
  71.

18. La joie de la miséricorde

« *La miséricorde est constamment au gouvernail du monde, à l'heure actuelle elle travaille profondément.* »

Nous voulons la justice, nous voulons que nos droits soient respectés. En même temps, nous sommes conscients que les conséquences de nos actes sont trop lourdes pour nous. Malades du mal, démunis, que pouvons-nous attendre ? Le père Marie-Eugène a osé dire un jour : « j'ai compris la miséricorde... j'en sens la puissance ». Les pensées rassemblées ici nous aideront à découvrir en Dieu cette puissance, à l'accueillir, à la partager.

Un trésor à donner

Dieu Amour cherche à se donner, à répandre ses bienfaits. C'est sa grande joie ; Dieu a soif de nous combler de ses richesses.

Que demande le Bon Dieu ? Qu'on se laisse aimer.

Ce trésor, cet amour du bon Dieu veut se répandre dans les âmes ; il les cherche dans tous les milieux pour les appeler à son intimité.

L'amour infini a faim et soif de se donner, la source infinie a soif d'être bue.

Vous avez soif ? Il a encore plus soif et faim que vous. Allez donc à Lui, demandez-lui donc gratuitement.

Une tendresse ineffable

Jésus nous connaît, il nous suit, il aime chacun de nous de l'amour particulier dont nous avons besoin d'être aimé, à chaque instant de notre vie, à chacune de nos périodes, dans nos difficultés et dans nos joies. C'est le Christ Jésus, homme au cœur d'or, au cœur immense et délicat !

Il est le bon Pasteur qui court après la brebis égarée.

Quand nous revenons malheureux, même quand le péché nous a privés de tout, c'est un mouvement de tendresse ineffable qui le porte vers nous.

Qu'est-ce qui émeut le père du fils prodigue ? La vue de son enfant. Une autre chose l'émeut : sa misère confiante, contrite.

Devant cette misère humble nous voyons le déclenchement de ce mouvement de miséricorde.

Jésus, folie de l'amour de Dieu

Entraîné, poussé par son amour, Dieu va faire un geste de folie. Il va se laisser attirer par le péché, par la déficience.

Dieu et la créature, étaient restés séparés, et voici qu'ils s'unissent dans l'Incarnation, dans l'Homme-Dieu.

« Dieu a tellement aimé le monde qu'il a donné son Fils ». L'Incarnation, c'est la preuve de l'amour de Dieu.

Voilà la folie déconcertante de la miséricorde : Dieu a ce goût singulier de descendre vers la misère.

Actuelle miséricorde

L'individualisme s'est implanté dans les mœurs. Un individualisme inquiet, car même des plaisirs toujours nouveaux ne sauraient apaiser le besoin profond de notre âme créée pour l'Infini.

Dieu ne va-t-il plus se donner ? Au contraire, plus que jamais ! Toujours selon la même loi de l'amour que la haine fait grandir.

Le fossé que l'homme met entre Dieu et lui n'est pas infranchissable. Dieu va lui parler. Il est difficile de toucher l'intelligence car il y a l'orgueil. Il n'y a qu'une chose qui puisse toucher cette civilisation, c'est l'amour. C'est ce message que Dieu nous a donné par Thérèse de l'Enfant Jésus.

Croire à la gratuité

Dieu a de l'amour en réserve qu'il ne peut pas donner parce que les gens arrivent avec leurs petites affaires, leurs petits mérites, leurs petits comptes, alors que lui voudrait les inonder de ses dons.

Nous recevons tout de lui, et ce que nous avons est peu de chose comparé à ce qu'il veut nous donner.

Le premier don est gratuit, le deuxième aussi… ça peut aller très loin, mais à un moment donné, Dieu demande que nous croyions à la gratuité de son don.
Il faut que nous croyions à la folie de l'amour qui est en Dieu.

Notre pauvreté doit nous conduire à un geste de confiance pour être comblée par Dieu.

Radiateurs d'amour

La charité de Dieu se transforme en miséricorde devant la pauvreté, la misère, le péché. La charité du chrétien devra être comme celle de Dieu.

Dieu a besoin de tout – notre volonté, notre intelligence, toutes nos facultés, notre psychisme, notre corps –, pour que nous soyons les radiateurs, les messagers, de cet amour de l'Esprit Saint.

La charité doit faire de nous des hommes de paix. Saint Jean de la Croix disait : « Là où il n'y a pas d'amour, mettez de l'amour et vous recueillerez de l'amour. »

Marie, le chef-d'œuvre

Le plus grand saint sera le plus pauvre, le plus confiant. Ce n'est pas le plus pauvre en soi, c'est le plus pauvre qui regarde Dieu et qui espère en Lui.

La Miséricorde de Dieu n'a jamais fait œuvre plus belle que celle qu'elle réalise dans la Vierge Marie.

Dans le *Magnificat* la Vierge Marie explicite pourquoi le bon Dieu lui a donné beaucoup : « C'est parce qu'il s'est penché sur sa petitesse ».

La miséricorde aux extrêmes

Il y a un amour particulier qui va aux extrêmes, à la misère, à ceux qui n'ont pas de droits, qui va dans des régions plus difficiles à atteindre. Il semble bien que cette médiation, cette maternité soit confiée à la Sainte Vierge.

La Sainte Vierge est mère des pécheurs, mère des pauvres, mère de ceux qui ont un peu d'amour et de ceux qui n'en ont plus, et qu'elle aime encore parce qu'ils sont ses enfants.

Remercier

On entre dans le mystère, dans ces flots, dans cet océan de la miséricorde par la reconnaissance, en reconnaissant que tout cela nous a été donné gratuitement.

Qu'avec les saints nous sachions chanter la miséricorde de Dieu. Que notre vie soit surtout un chant de reconnaissance à Celui qui nous a choisis, qui a fait tomber sur notre âme un rayon de sa lumière, une étincelle de son amour.

Pour prier

Ô mon Dieu,
je me réjouis de ce que vous êtes,
je me réjouis de ce que vous faites.
Je me réjouis de ce que vous faites autour de moi,
de tout ce que vous me donnerez
et de tout ce que vous donnerez aux autres.

Ô mon Dieu, soyez béni de tout.
Je me réjouis avec vous
de toutes les effusions de la miséricorde
sur l'Église et sur les âmes.

Voilà la joie que je veux avoir, dans la foi,
en attendant le jour où, en vous voyant,
je trouverai que tout cela est bien,
où tout ce qui est source de joie pour vous,
sera aussi source de joie pour moi.

Pour échanger

- Dans le langage courant, qu'évoque le mot « miséricorde » ?
- Dans la miséricorde de Dieu, qu'est-ce qui apparaît le plus étonnant au père Marie-Eugène ? Et pour nous ?
- Connaissons-nous des situations où l'intelligence a créé un fossé que seul l'amour peut franchir ?
- Pour quelle expérience de miséricorde, reçue ou donnée, pourrions-nous remercier davantage ?

Pour aller plus loin

- **Dans la Bible :** *Exode*, 34, 8. *Livre d'Osée* ; *Siracide* 47, 22 ; *Marc*, 5, 1-20 ; *Luc* 1, 49-54 ; *Luc* 15 ; *Éphésiens* 2, 4.
- **Dans le Catéchisme de l'Église catholique :** 211, 545, 1037, 1427-1429, 1700, 2582-2583.
- *La joie de la miséricorde :* Textes inédits du P. Marie Eugène présentés par Yvette Périco, 192 p. Nouvelle Cité, 2008.

P. Marie-Eugène de l'Enfant-Jésus

Dynamisme d'une mission

1894	2 décembre : Naissance d'Henri Grialou, au Gua (Aveyron).
1904	Mort de son père.
1905	Départ pour l'école des Pères du Saint Esprit à Suse (Italie).
1908	Au petit séminaire puis au grand séminaire (diocèse de Rodez).
1913	À l'armée : service militaire, puis mobilisation jusqu'en 1919.
1922	4 février : Ordination sacerdotale à Rodez.
1922	24 février : Entrée au noviciat des Carmes à Avon (près de Fontainebleau).
1924	Ministère au couvent des Carmes de Lille.
1928	Nommé supérieur du Petit-Castelet à Tarascon (bouches du Rhône).
1932	Prieur du couvent des Carmes à Agen.
1932	Fondation de l'Institut Notre-Dame de Vie.
1937	Élu définiteur général des Carmes. Il sera en responsabilité à Rome jusqu'en 1955.
1939	Mobilisation puis activités en France jusqu'en 1946.

1948	Visiteur apostolique des Carmels de France.
1949	Parution de *Je veux voir Dieu*.
1951	Parution de *Je suis fille de l'Église*.
1954	Vicaire [supérieur] général de l'Ordre du Carmel.
1955	Retour définitif en France. Prieur du couvent du Petit-Castelet.
1956	1re édition de *Je veux voir Dieu* en un volume. 8e édition en 1998.
1957	Provincial des Carmes d'Avignon-Aquitaine (jusqu'en 1960).
1961	Vient résider à Notre-Dame de Vie.
1963	Réélu provincial (réélu en 1966).
1967	27 mars : Décès, le lundi de Pâques.
1985	Pâques : Ouverture canonique de la cause de béatification.
1994	Clôture de l'Enquête diocésaine.
2000	Fin de la rédaction de la *Positio* à la Congrégation des Causes des Saints à Rome.

Bibliographie

Textes du Père Marie-Eugène de l'Enfant-Jésus

Je veux voir Dieu. Éditions du Carmel, 1988 (6)

Au souffle de l'Esprit. Prière et action, Éditions du Carmel, 1990.

Croyez à la folie de l'amour qui est en Dieu, Éditions du Carmel, Toulouse, 2004, 55 p.

Dieu t'attend. Les chemins de la prière, Extraits de Je veux voir Dieu, Éd. du Carmel, 2006, 76 p.

J'ai prié pour toi. Prière de Jésus, prière du disciple, Éditions du Carmel, 2006, 75 p.

Jean de la Croix. Présence de lumière, Éditions du Carmel, 1991.

Jésus, contemplation du mystère pascal, Éditions du Carmel, 1986.

La Vierge Marie toute mère, Éditions du Carmel, 1988.

Les premiers pas de l'Enfant-Dieu, Éditions du Carmel, 1991.

L'expérience de Dieu. Marie-Eugène de l'EJ, textes choisis par Thérèse Remy, Éd. Fides, Canada, 1999, 140 p.

Père d'une multitude. Lettres autobiographiques, Le Sarment/Fayard, 1988.

Prier quinze jours avec le Père Marie-Eugène, Nouvelle Cité, 2005.

*Ton amour a grandi avec moi. Un génie spiri-
tuel, Thérèse de Lisieux,* Éditions du Carmel,
1987.

*Viens rencontrer le Dieu vivant. Entrer dans la
prière avec Je veux voir Dieu,* Éditions du
Carmel, Toulouse, 2004, 40 p.

La joie de la miséricorde, textes inédits du
P. Marie Eugène présentés par Yvette
Périco, 192 p., Nouvelle Cité, 2008.

Père Marie-Eugène de l'EJ, la force de la prière,
65 p. P. J. M. Laurier, R. Deglaire, J. Gui-
chard, Édition Le Livre Ouvert, 2008.

Ouvrages sur le Père Marie-Eugène de l'Enfant-Jésus

Règue, R. *Le Père Marie-Eugène de l'Enfant-
Jésus, maître spirituel pour notre temps,*
Éditions du Carmel, 1978.

Huber, M.-Th. *Les sommets de l'amour,* Le
Sarment/Fayard, 1991.

Huber, G. *Un témoin de la foi, le Père Marie-
Eugène,* Médiaspaul, 1994.

Gaucher, G. *La vie du père Marie-Eugène de
l'Enfant-Jésus. « Je veux voir Dieu »,* Paris, Cerf
2007.

Table

Vous souhaitez poursuivre l'échange
avec le père Marie-Eugène de l'Enfant-Jésus ?
Voici une adresse :
Les amis du père Marie-Eugène
Notre-Dame de Vie
84210 Venasque
www.notredamedevie.org

*Cet ouvrage a été composé
par Ailant Communication
aux Sables-d'Olonne (Vendée).*

*Achevé d'imprimer en France
sur les presses de Corlet, Imprimeur, S.A.
14110 Condé-sur-Noireau*

Imprimé en France

N° d'imprimeur : 117366
Dépôt légal : novembre 2008